COLLECTION FICTIONS

Baroque d'aube de Nicole Brossard
est le quatre-vingt-deuxième titre de cette collection
dirigée par Suzanne Robert et Raymond Paul.

DE LA MÊME AUTEURE

Poésie

«Aube à la saison», dans *Trois*, Montréal, Éditions de l'AGEUM, 1965.

Mordre en sa chair, Montréal, Éditions de l'Estérel, 1966.

L'écho bouge beau, Montréal, Éditions de l'Estérel, 1968.

Suite logique, Montréal, Éditions de l'Hexagone, 1970.

Le centre blanc, Montréal, Éditions d'Orphée, 1970.

Mécanique jongleuse, Paris, Génération, 1973.

Mécanique jongleuse suivi de *Masculin grammaticale*, Montréal, Éditions de l'Hexagone, 1974.

La partie pour le tout, Montréal, Éditions de l'Aurore, 1975.

Le centre blanc, Montréal, Éditions de l'Hexagone, 1978.

D'arcs de cycle la dérive, poèmes, gravure de Francine Simonin, Saint-Jacques-le-Mineur, Éditions de la Maison, 1979.

Amantes, Montréal, Les Quinze, éditeur, 1980.

Double impression, Montréal, Éditions de l'Hexagone, 1984.

L'aviva, Montréal, NBJ, 1985.

Domaine d'écriture, Montréal, NBJ, n° 154, 1985.

Mauve, avec Daphne Marlatt, Montréal, NBJ, 1985.

Character/Jeu de lettres, avec Daphne Marlatt, NBJ, 1986.

Sous la langue/Under Tongue, édition bilingue, traduction de Susanne de Lotbinière-Harwood, Montréal, L'essentielle, éditrices/Gynergy Books, 1987.

À tout regard, Montréal, NBJ/BQ, 1989.

Installations, Trois-Rivières, Les Écrits des Forges, 1989.

Langues obscures, Montréal, Éditions de l'Hexagone, 1992.

Prose

Un livre, Montréal, Éditions du Jour, 1970; Les Quinze, éditeur, 1980.

Sold-out (étreinte/illustration), Montréal, Éditions du Jour, 1973; Les Quinze, éditeur, 1980.

French kiss (étreinte/exploration), Montréal, Éditions du Jour, 1974; Les Quinze, éditeur, 1980.

Le sens apparent, Paris, Flammarion, 1980.

L'amèr ou Le chapitre effrité, Montréal, Les Quinze, éditeur, 1977; Éditions de l'Hexagone, coll. «Typo», 1988.

Picture Theory, Montréal, Éditions Nouvelle Optique, 1982; Éditions de l'Hexagone, coll. «Typo», 1989.

Le désert mauve, Montréal, Éditions de l'Hexagone, 1987.

Théâtre

«L'écrivain», dans *La nef des Sorcières*, Montréal, Les Quinze, éditeur, 1976.

Essai

La lettre aérienne, Montréal, Éditions du Remue-ménage, 1985.

«L'angle tramé du désir», dans *La théorie, un dimanche*, Montréal, Éditions du Remue-ménage, 1988.

Anthologie

Anthologie de la poésie des femmes au Québec (en collaboration avec Lisette Girouard), Montréal, Éditions du Remue-ménage, 1991.

NICOLE BROSSARD

Baroque d'aube

Roman

l'HEXAGONE

Éditions de l'HEXAGONE
Une division du groupe Ville-Marie Littérature
1010, rue de la Gauchetière Est
Montréal, Québec H2L 2N5
Tél.: (514) 523-1182
Télécopieur: (514) 282-7530

Maquette de la couverture: Nancy Desrosiers
Illustration de la couverture: Julie Bouchard

Données de catalogage avant publication (Canada)
Brossard, Nicole, 1943-
  Baroque d'aube
  ISBN 2-89006-549-9
  I. Titre
PS8503.R7B37 1995   C843'.54   C95-941185-2
PS9503.R7B37 1995
PQ3919.2.B76B37 1995

DISTRIBUTEURS:

• Pour le Québec, le Canada et les États-Unis:
LES MESSAGERIES ADP*
955, rue Amherst, Montréal, Québec H2L 3K4
Tél.: (514) 523-1182
Télécopieur: (514) 939-0406
*Filiale de Sogides ltée

• Pour la Belgique et le Luxembourg:
PRESSES DE BELGIQUE S.A.
Boulevard de l'Europe, 117, B-1301 Wavre
Tél.: (10) 41-59-66
(10) 41-78-50
Télécopieur: (10) 41-20-24

• Pour la Suisse:
TRANSAT S.A.
Route des Jeunes, 4 Ter, C.P. 125, 1211 Genève 26
Tél.: (41-22) 342-77-40
Télécopieur: (41-22) 343-46-46

• Pour la France et les autres pays:
INTER FORUM
Immeuble PARYSEINE, 3, allée de la Seine, 94854 IVRY Cedex
Tél.: (1) 49.59.11.89/91
Télécopieur: (1) 49.59.11.96
Commandes: Tél.: (16) 38.32.71.00
Télécopieur: (16) 38.32.71.28

Dépôt légal: 4e trimestre 1995
Bibliothèque nationale du Québec
Bibliothèque nationale du Canada

Je ne raconterai pas mon raisonnement.

Samuel Beckett

Hôtel Rafale

Ce que je veux c'est célébrer celle qui possède mon ombre: celle qui dérobe au néant noms et figures.

ALEJANDRA PIZARNIK

D'abord l'aube. Puis la femme avait joui.

Dans la chambre 43 de l'hôtel Rafale, au cœur d'une ville nord-américaine armée jusqu'aux dents, au cœur de la civilisation des gangs, des artistes, des rêves et des ordinateurs, au milieu d'une nuit qui avale tous les pays, Cybil Noland est allongée entre les jambes d'une femme rencontrée il y a à peine quelques heures. Pendant un temps qui lui avait semblé fou, très nocturne, la femme avait répété: «Dévaste-moi, mange-moi.» Cybil Noland avait redoublé d'ardeur avec sa langue et elle avait fini par entendre: «Dé, vaste moi, m'ange moi.» Il y avait eu un léger tremblement des cuisses, puis le corps de la femme avait fait le tour de la planète comme si le plaisir en elle était devenu un énorme réflexe de vie aérienne.

Cybil Noland avait senti la mer se glisser dans ses pensées comme une rime, une sorte de sonnet qui l'avait un instant rapprochée de Louise Labé puis s'en était allé cogner au loin, bruit de vague au présent. La mer l'avait pénétrée en chuchotant à son oreille des phrases habitables, de longues complaintes, une habitude du vivant avec ses mille surimpressions de lumière. Plus tard, la pensée de la mer l'avait rejetée sur le mur incommensurable des questions.

— —

Dans la chambre, le climatiseur fait un bruit d'enfer. L'aube a donné signe de vie. Cybil peut maintenant distinguer le contour des meubles, voir, reflétée dans le miroir de la porte de la salle de bains restée entrouverte, une chaise sur laquelle pendent un t-shirt bleu, un jeans et une veste en cuir noir. Sur la moquette, des sandales font la paire.

La femme a posé une main sur les cheveux de Cybil Noland, l'autre main touche une épaule. L'inconnue repose terriblement vivante, anonyme avec ses mille identités au repos. Cybil Noland s'est retournée de manière à appuyer confortablement sa joue au creux de l'aine. Ni l'une ni l'autre ne pense à bouger, encore moins à parler. Chacune vient d'ailleurs, chacune est ailleurs dans sa vie d'ailleurs comme dans une vie antérieure.

—

Cybil Noland avait beaucoup voyagé, allant vers des villes aux courbes lumineuses, ruisselantes de phares et de néons. Elle aimait le suspens, le risque que pouvait maintenant représenter un acte aussi simple que déambuler rêveusement entre les édifices des grandes villes. Elle avait toujours refusé, ne fût-ce que pour quelques jours, de s'arrêter à la campagne, à la montagne, au bord d'un lac. Sa vie antérieure s'était déroulée au rythme des villes, entre les accents multiples, les bruits de la circulation et la vitesse qui aiguisent les sens. Avec les années, elle avait fini par aimer les couchers de soleil rougi à l'oxyde de carbone. Il y avait si longtemps qu'elle n'avait vu les étoiles que le nom des constellations était

depuis longtemps enfoui dans sa mémoire. Cybil
Noland vivait au rythme de l'information. L'information était son firmament, sa mer inté-
rieure, son Everest, son cosmos. Elle aimait la
sensation électrique que lui procurait la vitesse
des images. Chaque image était facile. Il lui était
facile d'oublier ce qui l'instant d'avant l'avait
excitée. Parfois, elle pensait qu'il fallait résister à
cette consommation frénétique qu'elle faisait
des mots, des désastres, de la vitesse, des ru-
meurs, de la peur et des écrans mais, trop tard,
son intoxication semblait irréversible. Entre
quinze et trente ans, elle s'était instruite de l'histoire, de la littérature et des lois étranges qui
gouvernent l'instinct de vie. Elle avait ainsi appris à se déplacer entre les croyances et les rêves
dispersés au fil des générations et des siècles.
Mais aujourd'hui, tout cela lui semblait lointain,
inadapté à la vitesse avec laquelle la réalité filait
son angoisse, ses séquences de bonheur et de
violence, sa fiction greffée comme une science
au cœur de l'instinct. Enfant, elle avait appris
plusieurs langues, ce qui lui permettait aujour-
d'hui de consommer deux fois plus d'informations, de commentaires, de drames, de faits di-
vers et de pronostics. Ainsi, à son insu, elle avait
pris goût aux paroles faciles, aux images rapides.
Tout ce qu'elle avait appris dans sa jeunesse lui
était peu à peu devenu brouillon, anachronique,
révolu dans le temps.

Or, en cette nuit de juillet qui s'achevait dans un
petit hôtel d'une ville armée jusqu'aux dents,
Cybil Noland avait senti la mer l'avaler. Quelque
chose avait débordé qui faisait image horizontale et simultanément barrage de questions.

Quand la femme avait joui, le ciel, les étoiles et la mer avaient fait synthèse en elle de toute la civilisation des villes.

Entre les jambes de l'inconnue, les questions surgissaient, envahissantes questions répétées, questions flaireuses, questions de fond qui valident et raturent alternativement le monde et sa raison d'être. Ainsi emportée par le courant des questions, Cybil Noland avait fait le vœu de renoncer aux paroles faciles sans pour autant accepter de se soustraire à la dangereuse euphorie que lui procuraient les images rapides et démentielles de son siècle.

—

La lumière est maintenant partout répandue dans la chambre, une lumière jaune du matin qui dans les films d'autrefois donnait au dialogue une tournure d'espoir pour la toute simple raison que les matins étaient alors lents d'une lenteur naturelle qui s'accordait bien au mouvement que faisaient les héroïnes lorsqu'en s'éveillant elles étiraient gracieusement leurs bras, traçant dans l'air des arcs de triomphe charnel.

La femme a bougé les jambes pour changer de position, peut-être pour quitter le lit. Cybil Noland a levé la tête, soulevé son corps de manière à se hisser jusqu'au visage de la femme. Le matelas est inconfortable avec des creux, des mous qui font glisser les coudes et les genoux.

Depuis qu'elles se sont rencontrées, les deux femmes ont à peine échangé trois phrases. La femme est musicienne et jeune. «*But I am not six-*

teen», avait-elle dit en souriant dans l'ascenseur. Cybil Noland l'avait alors surnommée la Sixtine. Une fois dans la chambre, elles s'étaient dévêtues et aussitôt la femme avait ordonné: «Mange-moi.»

Maintenant que la vie du visage de la femme est à la hauteur des yeux, le ventre riche du désir se lève à nouveau comme un vent fougueux. *Baise-moi, baise m'encore.* La femme la toise, la caresse, la fièvre et la fête dans les yeux, puis elle enfonce sa langue entre les lèvres de Cybil Noland. Ce pourrait être un baiser, mais la façon qu'elle a de respirer et d'emperler chaque lèvre dessine dans la bouche *abc* de tous petits mouvements, impossible de détacher les lettres *abc* de s'arrêter folie furia *abc* dans la bouche constellée de saveurs. Alors, le vent se lève, balaie les cils, assèche la sueur dans le cou, caresse la soie des joues, ferme les paupières, scelle, au creux de l'oreiller, la forme des visages. Les cinq sibylles de la chapelle Sixtine font le tour de la planète et les questions reviennent. Cybil Noland ouvre les paupières. Il reste des traces de rimmel sur les cils de la femme. À son tour, elle dessille les yeux. Son regard est rieur, lent et offert comme un signe intime qu'on effleure dans le plus grand anonymat. Inopinément, Cybil arde comme une folle d'amour pour cette anonyme aperçue dans le bar de l'hôtel Rafale. Quelque chose l'excite qui passe par l'anonymat de cette femme rencontrée au cœur d'une mégapole, quelque chose qui affirme j'ignore votre nom, mais je connais la lisse et ondoyante forme de votre corps quand il navigue vers la pleine mer. Bientôt, je saurai où se cachent vos larmes, les mots féroces et les gestes inquiets qui me feront tout deviner d'un seul coup à propos de vous. L'imagination nous entraîne ainsi au-delà du visible, précipitant notre vie vers des visages inconnus qui font lever le vent malgré le barrage des villes verticales, malgré la vitesse qui vide et désœuvre les pensées. Les yeux précieux du désir ont raison de se laisser séduire pour que le corps familier du quotidien trouve sur son chemin matière à se réjouir parmi les milliers de corps anonymes qui vont leur destin au milieu des villes saturées d'émotions et de sensations.

— —

L'inconnue dégage un parfum de vie complexe qui s'enroule autour de Cybil Noland. Odeurs de ville déposées dans les cheveux comme un moi social, fragrance de santal qui singularise, nombril saveur sel, goût lacté des seins. La vie s'infiltre partout, copieusement, odorante, pendant que l'enfant en soi circule entre les odeurs, anonyme, comme un adulte pressé de penser.

Le climatiseur s'est arrêté. Il fait silence. Un silence qui surprend telle l'odeur bouleversante du lilas lorsque mai soudain nous atteint à la sortie des grandes cages de verre et de béton qui abîment les sens. Le silence s'étire palpable et attachant comme le corps de la Sixtine. Sur la table de chevet, le cadran du réveille-matin clignote. C'est la panne: une chaleur insupportable en échange d'un silence rare, plus précieux que l'or et le caviar. Le silence est maintenant partout répandu dans la chambre. Il surprend, dévastateur. Un silence irréel, épouvantablement vivant comme s'il obligeait à quelque fiction en tournant les yeux du cœur vers un intérieur abyssal.

Les deux femmes sont allongées côte à côte, les jambes emmêlées, les bras comme des réflexes endormis derrière la nuque. Soudain, Cybil Noland n'en peut plus de ce silence neuf venu se superposer au premier silence qu'elles ont tacitement établi entre elles telle une pudeur stylisée, une élégante discrétion, une forme de recueillement capable d'arrêter les bruits de la civilisation et de créer un temps fictif propice à l'apparition du visage essentiel de chacune.

—

Cybil Noland avait fait monter la femme dans sa chambre en pensant à ce qu'elle appelait le visage essentiel de chacune en son destin. Chaque fois qu'elle allait avec une femme, c'est ce qui donnait de l'âme à son désir. Elle était prête à tous les gestes, à toutes les caresses, tous scénarios sexuels confondus, sachant qu'on ne pouvait jamais prévoir à quel moment, ni pour combien de temps, la jouissance allait recomposer les traits de la bouche et du menton, alourdir les paupières, dilater les pupilles ou garder les yeux vifs. La plupart du temps, le visage dessinait sa propre aura d'extase à partir de la lumière filtrant par la fente énigmatique que forment les paupières quand elles restent entrouvertes à égale distance de la vie et du plaisir. Puis venait la fraction de seconde qui transformait l'iris en forme de croissant lunaire avant que le blanc du globe oculaire, plus blanc que l'âme, fasse proliférer au fond des pensées le multiple du mot imaginaire. C'est ainsi que celle qui, l'instant d'avant, était une parfaite inconnue devenait une bien-aimée pouvant modifier le cours du temps en faveur du futur.

Tout, pensait Cybil Noland, pour que le visage essentiel qui donne la juste mesure des femmes se manifeste, infiniment vulnérable et radieux, démesurément humain, désespérément troublant. Mais pour cela, il fallait que la mer pénètre tout entière dans la bouche, que le vent lisse les cheveux au plus près du crâne, que le feu s'enflamme du feu, il fallait toucher tout de très près, à la vitesse du vivant, et attendre que la femme dispose de son propre silence à bout de souffle et de syllabes, au milieu de son présent. Il fallait que dans le gouffre du plaisir la femme trouve son espace, une place de choix.

Aussi quand le climatiseur s'était arrêté, Cybil Noland s'était-elle sentie spoliée du silence singulier qui l'avait rapprochée de la Sixtine. Comme si elle avait soudain compris que la civilisation n'en avait pas moins poursuivi son train d'enfer pendant que les mots *m'ange moi vaste* résonnaient de leurs mille possibilités et que de sa langue fine elle écartait les nymphes du sexe de la Sixtine.

Maintenant le silence empiète sur le silence qui côtoie les pensées les plus intimes. Cybil Noland cherche une comparaison pour expliquer le nouveau silence et soudain elle n'en peut plus, veut, va parler, mais la femme se rapproche d'elle, vient sur elle avec son ventre chaud, ses cheveux qui chatouillent le nez, les seins qui effleurent la bouche, l'air parfaitement décidé à transformer le corps de Cybil en un pur objet de jouissance.

On dirait qu'elle va. Dire. Oui, elle murmure à l'oreille des sons inarticulés, rythme, mots insensés, reprend sa respiration, joue avec un instant, susurre «Ça c'est bon? Ça c'est mieux», parsème le corps de Cybil d'images et de mots juteux qui comme des baies éclatent dans la bouche. À présent, les sons font des caresses de violon. Cybil Noland se rappelle soudain le nom des constellations: Dragon, Chevelure de Bérénice, Cassiopée, Lyre pour l'hémisphère boréal, Atelier du Sculpteur, Toucan, Oiseau du Paradis, Autel pour l'hémisphère austral. Alors la mer s'infiltre tout entière en elle et la Sixtine relâche son étreinte.

—

On dirait qu'elle va raconter. Quelque chose avec le mot joyeuse dans la phrase pour accompagner sa nudité au milieu de la pièce. Une fois sous la douche, l'eau tombe drue. La Sixtine chantonne. Les sons se ramassent sous la langue qui en se soulevant les rend pleins d'entrain à la vie. La voix tempête de joie, zigzague sur un mot, la voix s'infiltre allégrement dans la conscience de Cybil Noland à moitié endormie dans le vaste lit.

«Je te raconterai», avait dit la Sixtine en ouvrant la fenêtre avant d'aller sous la douche. La fenêtre donne sur un escalier de secours. Le rideau bouge légèrement. Cybil Noland observe le mouvement des poissons, des algues et des coraux qui composent le dessin du rideau. La vie est une toile de fond où les pensées chevauchent la mémoire. La vie bouge imperceptiblement, passe à travers les temps morts, bifurque, installe

son humanisme au cœur des villes armées
comme une provocation, un paradoxe qui
oblige à sourire. Malgré tout. Les poissons sombres obombrent le rose et la blancheur des
coraux pense Cybil Noland avant de repartir
chevauchant, nomade au fond des mers, de
grands incunables.

— —

Le courant est revenu. Le climatiseur fonc-
tionne. Dans le corridor, les femmes de ménage
ont repris leur va-et-vient. En sortant de la
douche, la Sixtine a ouvert la radio. Une voix
grave est entrée dans la chambre, a répandu une
odeur de guerre et de saletés. La voix s'est frayé
un chemin entre «aujourd'hui les autorités» et
«devant la cathédrale plusieurs cadavres dont
certains sont horriblement mutilés. On a vu des
fœtus pendre du corps éventré de leur mère. À
certains endroits, on aurait dit la neige recouverte d'une nappe de sang. De vieilles femmes,
la bouche ouverte et les yeux fixant le vaste froid
du côté de la région qui mène à la mer, ont parlé
de membres humains jonchant le sol. D'autres
témoins ont déclaré avoir entendu des cris d'enfants quoique aucun enfant n'ait été retrouvé.
Les autorités sont présentement dans l'incapacité de dire à quel groupe appartiennent les
morts, leurs vêtements ne permettant pas d'affirmer s'ils sont du nord-est ou de l'est-nord».

Les phrases tombent une à une sur la moquette
rose de la chambre. Dans le vaste lit, Cybil
Noland observe. La Sixtine assise sur le bord du
lit, une serviette de bain autour des hanches,
respire on dirait avec difficulté. Puis, comme

lasse de chercher son souffle, elle vient lover son corps au milieu de la nudité tremblante de Cybil. Sa tête pèse lourd. Le corps est lourd. Le présent est un corps. Le corps est vivant, pur présent qui s'éternise entre le ronron électrique du climatisateur et la voix radiophonique.

—

Cybil Noland pense à cet avant-midi passé dans un café de Covent Garden. Ce matin-là, il y avait eu dans sa tête une femme qui voulait écrire un roman. La femme manque de vocabulaire pour décrire le volcan de violence qui déferle dans les villes. La femme est assise dans une grande cuisine. Ses cheveux frôlent le sucrier pendant qu'avec une petite cuillère d'argent elle fait glisser le sucre dans sa tasse de thé. La femme est jeune et décidée, et cela contraste avec le fait qu'elle soit encore en pyjama en cette fin d'après-midi. Il y a un dictionnaire sur la table. D'une main, la femme tient la cuillère d'argent, de l'autre, elle feuillette distraitement les pages du dictionnaire. La femme se lève, va vers la fenêtre, reste un instant appuyée à son rebord. De là, elle peut voir les abords de Hyde Park, le grain du jour et la pluie fine du temps qui pénètre les cœurs. La femme regarde au loin. À l'autre bout d'elle-même, elle interroge une vie fictive. Et parce qu'elle observe méticuleusement, cela lui fait comme un casque sur la tête et dans ses pensées. Sur la table, un livre de Samuel Beckett. Le sucrier ressemble à un volcan. La femme vit seule, entourée d'osmondes et d'un grand nombre de plantes qu'elle refuse de nommer afin que, tout vert confondu, elles forment un bel écran de forêt tropicale. La pluie tombe

lentement. La femme allume une cigarette.
Pourquoi écrirait-elle ce livre violent? Elle n'en a
ni le talent, ni le vocabulaire, ni l'expérience.
D'une main, elle rapproche le dictionnaire. Pendant un moment, sa main reste appuyée sur la
couverture comme si on allait l'assermenter. De
l'autre main, elle trace une liste de mots violents, des mots qui font tourner l'estomac, font
tourner la tête du côté de la souffrance, du côté
des êtres et de leur descendance avide de vengeance. Derrière la fenêtre, Hyde Park luit,
allongeant son mystère, ses arbres et ses pelouses
comme autant d'hypothèses qui avivent le vertige à propos du futur. La vérité ne viendrait
jamais sans vertige non plus que l'illusion de
vérité. La femme se verse une autre tasse de thé.
La bibliothèque en chêne de son père est remplie de livres de femmes. Les livres du père sont
empilés dans le coin nord de la cuisine. Ils
s'élèvent comme trois tours de Babel. Trois tours
de volumes en cuir montrant leurs épines
dorées.

La pluie tombe fine et la femme garde pré-
cieusement en elle ces images du nord qui rendent nostalgique. Ce n'est pas la mémoire, c'est
le goût du bonheur fendu en deux par le silence.

━━

Dans la chambre de l'hôtel Rafale, la voix grave
continuait à répertorier les incidents violents qui
avaient marqué la journée précédente. Elle
bruissait dans la chambre comme un petit rep-
tile. Cybil Noland ne savait plus à quel endroit,
comment toucher la Sixtine dont le corps vibrait

de tout le présent inutile de l'humanité. Cybil cherchait mais en vain le regard de la Sixtine. L'autre regardait du côté obstacle des mots. La voix grave ne pourrait pas éternellement parler de la mort et Cybil attendait la dernière phrase, confiante que la Sixtine quitterait alors cette pose terriblement gênante de *pietà* qui engourdissait les membres. Mais la voix insistait. La mort venait de partout, dévalait du nord au sud, rayait la planète d'ouest en est, avançait vers les vivants avec un air de patriarche rassurant, puis d'un seul coup disséminait dans la chambre sa logique et autres instruments de mort en forme de phalange et de phallus. La mort entrait souveraine médiatique dans le lit vaste pendant que Cybil Noland gardait, dans son crâne et ses pensées, la fièvre de vivre comme un beau cliché dont l'espoir aime tant se nourrir.

— —

La femme de Hyde Park réapparaît. Le livre de Samuel Beckett repose, objet insolite, entre un plat de fruits et la fenêtre en angle. On entend la pluie. La femme écrit, et dans la tête de Cybil, cela devrait suffire à faire taire la voix de malheur. Enfin, un air de calypso rature tous les désastres. La Sixtine en profite pour se lever et enfiler son slip en demandant à Cybil d'où elle vient et ce qui l'a menée en cette ville. Tout en disant qu'il n'est pas bon de parler le ventre creux et les lèvres sèches, Cybil téléphone à la réception pour commander à boire et à manger. À son tour, elle va sous la douche se livrer au plaisir de l'eau, bientôt absorbée dans une rêverie sans fond où chaque cellule de chair et de chimère rutile pleinement. Emportée par le jeu des mots vagues et des pensées floues, Cybil Noland nage avec une vigueur remarquable au milieu des poissons-rubans, des salpes et des poissons-lanternes de la zone crépusculaire. Les métaphores d'eau défilent. Ici et là, elle ralentit pour admirer formes et couleurs si vives entre le bleu dit gavé de lumière et le bleu noir de l'abysse inaltérable. Puis les courants forts de l'océan se transforment en une pluie fine qui lui fait penser à l'Écosse et paradoxalement à la douceur d'un grand nombre de mots français. Quand elle ouvre les yeux, deux ou trois gouttes d'eau scintillent sous la pomme de douche.

À peine a-t-elle franchi le seuil de la salle de bains que la Sixtine demande, un soupçon d'inquiétude dans la voix, s'il est dans ses habitudes de «prendre l'ascenseur» avec des inconnues. La réponse fuse.

— Si possible, oui. J'aime le bruit de mer que font les inconnues quand elles caressent et se laissent aimer au-delà de toute convention. Oh! oui, je suis fascinée par cette étrange activité de l'esprit qui oblige le corps à une synthèse rapide du désir, de l'autre et de soi. Il y a dans la rencontre sexuelle de deux inconnues un bris temporel qui permet de faire abstraction du récit que chacune porte en elle. Il y a là une économie de l'histoire au profit de la présence.

— Mais à quoi sert la présence si elle reste enfermée dans l'anonymat?

— Elle sert à la conscience. Elle permet de circuler dans le temps, de voler haut et bas et d'exercer cette merveilleuse faculté en nous qui est de produire du sens à partir de nos sens. Peut-être aussi sert-elle à brûler vive au milieu des questions, à voir en l'univers un alibi pour nos désirs hybrides avides de paysages. Peut-être.

La Sixtine ne saisissait pas tout ce que Cybil Noland énonçait passionnément mais il lui plaisait d'avoir à s'interroger sur les propos mystérieux de l'inconnue. De toute manière, elle prenait plaisir aux gestes, au parfum et à la voix de Cybil. Elle insista:

— En quoi suis-je différente des autres femmes rencontrées au hasard des villes?

— La ville, l'hôtel, cette chambre, les circonstances de notre rencontre font que vous n'êtes plus anonyme à mes yeux. Il n'y a pas lieu, il me semble, de raconter tout ce qui fait notre bonheur.

— Serai-je au cœur de votre mémoire quand vous quitterez cette ville? Je, mon histoire, ce qui existe de moi avant notre rencontre ne vous sont-ils d'aucun intérêt?

— N'en est-il pas de même pour vous à mon égard? Que feriez-vous de mon histoire si je vous la racontais?

— Je la transformerais. Je multiplierais ainsi mes chances d'éprouver envers vous des sentiments si riches et contradictoires que je ne pourrais plus vous quitter.

— Je crois plutôt que vous inséreriez mon histoire dans la vôtre en fabulant autour de quelques paroles et gestes anodins. Vous m'inventeriez, j'en suis certaine.

— Sans doute, et quel mal y a-t-il à cela?

— Aucun, mais ne prétendez pas vouloir *me* connaître.

— Avouez-le: personne n'existe en dehors de son récit.

— Il faut plus qu'une histoire pour comprendre les êtres, je veux dire pour s'y retrouver.

— Connaître l'autre, c'est entrer dans son histoire.

— Erreur, connaître l'autre, c'est entrer dans la logique de son récit.

— Je dis ce que je dis sans avoir à l'esprit de déjouer votre résistance à tout ce qui semble biographique. D'où vient cette incorrigible tendance que nous avons de vouloir associer nos vies à ce qui en l'autre est source de mémoire et de rêve?

— La soif constante que nous avons du récit de l'autre c'est un peu notre odorat. Sentir l'autre. Comparer. Ne jamais se sentir seule.

— Voulez-vous que je vous interprète ma vie? dit la Sixtine en plaçant sur son épaule un violon imaginaire.

Cela, elle l'avait dit avec trop de douceur pour que Cybil Noland refuse d'écouter. Alors, mue par une singulière pudeur, la Sixtine alla s'asseoir à une distance respectable de Cybil et elle raconta.

⌒

Elle commença par l'histoire de ses grands-parents maternels qui semblaient n'avoir connu que fêtes et célébrations sous les orangers et les palmiers de Los Angeles. À chaque phrase, elle mêlait la jeunesse de Paula et de Robert à la chaleur et à la bonne odeur des sentiers qui longeaient les abords de leur premier bungalow. Paula était comédienne. Robert avait un studio de photographie. Pendant des années, il avait capté le regard des acteurs d'Hollywood. Yeux nostalgiques, yeux d'ivrognes, de séducteurs, de divas, regards ambitieux, intelligents, vides. Et chacun de ces regards avait un sens, prenait une plus-value au milieu des scénarios et des soirs de première. Sa vie durant, Robert avait ainsi été un témoin privilégié des drames et des joies qui avaient altéré les traits de trois générations d'hommes et de femmes pour qui la gloire, qui allait façonner une partie de l'imaginaire nord-américain, était devenue un trait d'esprit.

Paula était née au Texas et Robert venait de la province française du Canada, le pays au nord des États-Unis, pays de neiges et de novembres sombres. Avec les années, Robert avait oublié sa langue maternelle, mais il avait conservé un petit vocabulaire qui lui servait exclusivement les soirs de champagne et de célébration quand ils s'ébattaient d'amour et qu'il répétait goulûment «Ah! Ma belle créature» avant de la pénétrer. Quand leur fille Jeanne naquit, Paula était déjà célèbre et Robert commençait à ressembler aux hommes de ses photographies. Jeanne grandit au milieu des bonnes et des réceptions. À vingt ans, elle fit la connaissance d'un jeune militaire du nom de James Kreig. Mes parents se marièrent dans une petite église de Santa Monica et ils firent leur voyage de noces à Québec, la ville natale de mon grand-père. Ma mère a toujours regretté ce voyage fait en plein cœur de l'hiver dans une ville qui ressemblait au décor du film *I Confess*. Mon père gravit très rapidement les rangs de l'armée et, en quelques années, il fut promu général. Ma mère lui était entièrement dévouée.

C'est mystérieux comment l'intimité s'installe entre un homme et une femme. Comment des gestes, d'abord inventés pour séparer les hommes et les femmes, sont par la suite interprétés comme des signes amicaux, capables de faire tourner la tête d'un attachement f'éros.

Je me souviens très bien d'un dimanche après-midi. Mon père lisait, ma mère s'apprêtait à aller prendre le thé chez une amie. Elle enfilait de longs gants blancs tout en échangeant avec mon père quelques mots sur l'heure probable de son retour. Elle s'était approchée de lui et l'avait embrassé sur la nuque là où chez un militaire les cheveux ne sont pas plus longs qu'une barbe de deux jours. Il avait penché la tête de côté comme pour retenir le baiser, le parfum entre l'épaule et sa joue. Sa main droite avait frôlé la robe de ma mère. Ces gestes simples, familiers m'ont toujours intriguée. Comment deux corps, à l'origine étrangers l'un à l'autre, en arrivent-ils à mixer leurs secrètes odeurs en sorte que personne autour d'eux ne puisse par la suite franchir ce mur invisible qu'on appelle intimité? Comment manies, mimiques, tics, toquades et fantaisies de l'autre et de l'un confondus engendrent-ils ces microclimats culturels que constituent le couple et la famille?

La Sixtine ne se privait de rien quand elle parlait. Elle taquinait les phrases comme on taquine la truite au printemps.

Imagine que ma mère ait fait en se mariant le vœu d'être aussi parfaite que son militaire. Imagine un instant cette perfection dans la voix et dans les gestes. Et l'état de propreté de chacune des maisons dans lesquelles j'ai grandi. Quatre ans à Paris, trois à Manille, un an à Saigon, deux ans à Baden-Baden et sept ans en Amérique latine. Imagine ma mère donnant ses ordres aux serviteurs et aux bonnes. Imagine leur diplomatie, leur diligence, leur courtoisie. Imagine leur vie. Maintenant, regarde-moi. J'ai six ans. Je porte une robe blanche en taffetas. Je suis debout au milieu de la chaleur et d'une grande chambre. Il y a un piano, des plantes, un divan fuchsia et une grande chaise en bambou. On entend le ronron de l'éventail au-dessus de ma tête. Mon professeur est un jeune homme timide, sombre et distrait qui sent le Old Spice. Le violon est lourd, albatros incontrôlable. Mes doigts moites glissent sur les cordes rugueuses. L'archet est comme une petite épée. Dans le secret de ma chambre, je la pose solennellement sur mon épaule et m'ordonne chevalière de la Table d'harmonie; je fais crier et chanter l'enfant que je suis. Parfois l'épée pointée vers le ciel, je menace Dieu. Malgré la chaleur insupportable et la résistance de l'instrument, je sais que je serai violoniste. La tête éprise du bel objet, j'aurai les meilleures pensées au milieu des sons graves et aigus prêts à jaillir de la table d'harmonie.

Il y avait deux ans que la famille était installée à Buenos Aires lorsque je fêtai mes seize ans. On louangeait déjà mon talent dans les cercles de l'ambassade où il m'arrivait d'interpréter un peu de mélancolie. Un jour, en parlant d'une grande soirée bénéfice devant réunir le Tout-Buenos Aires, la belle épouse d'un amiral suggéra que j'accompagne Ismelda Rubi, la célèbre chanteuse de tango. «Ce serait si original, deux femmes interprétant les plus beaux tangos de Buenos Aires», avait dit la femme en me regardant dans les yeux comme si j'étais la septième merveille du monde. C'est ainsi que le tango est entré dans ma vie. Par la volonté et la fantaisie d'une femme.

Je revis plusieurs fois la femme de l'amiral. Ma mère ne cessait de vanter sa beauté et mon père admirait l'élégance avec laquelle elle parlait de musique, des grands peintres et de la littérature. Aussi lorsqu'elle proposa à mes parents de m'amener entendre *Madame Butterfly* au théâtre Colon, mes parents furent-ils absolument ravis. Cette femme, croyaient-ils, pouvait parfaire mon éducation.

J'aimais la compagnie de la femme qui me traitait en adulte. Qu'elle puisse converser avec l'adolescente que j'étais en parlant de Léonard de Vinci, de Marie Curie et de Borges constituait une preuve d'intelligence et de sensibilité qui me la faisait estimer.

Les mois passèrent et plusieurs fois nous allâmes à l'opéra. Au milieu de toutes ces splendeurs, je lui inventais une vie antérieure. Elle se tournait souvent vers moi, chuchotait quelques mots auxquels j'acquiesçais, car à ses côtés, le spectacle m'était toujours source de contentement. Son parfum faisait une aura au-dessus de nous. Quand elle croisait les jambes, la friction du nylon sur le nylon attirait mon regard vers ses genoux.

Après le spectacle, il lui arrivait de demander au chauffeur de nous attendre une heure, deux heures selon sa fantaisie. La plupart du temps, nous allions marcher sur Corrientes. Elle prenait mon bras et je sentais sa main près de mon sein. Il fallait parfois marcher de profil pour se frayer un chemin dans la foule dense. Il était doux de prendre une boisson ou une pâtisserie dans ces endroits qui me ravissaient. Nous entrions dans toutes les librairies qui se trouvaient sur notre passage. S'il m'arrivait de feuilleter un livre, elle venait derrière moi, lisait par-dessus mon épaule avec une intensité que j'imaginais telle que dans mon dos la chaleur venait nodale puis montait arborescente jusqu'à la nuque.

Certains soirs, le chauffeur nous conduisait à l'autre bout de la ville. Buenos Aires défilait. La voiture s'arrêtait. Hôtel Alvear. Là, elle commandait du champagne et me tenait la main en regardant devant elle d'un air nostalgique. Toujours, elle me demandait si je voulais être compositrice. Toujours, je répondais: «Je ne sais pas. Encore.» La paume de sa main appuyait légèrement sur mes jointures et j'avais l'impression que la douceur de sa peau pouvait me protéger jusqu'à l'os contre les intempéries du monde. Entre la paume et les jointures, il se formait une poche d'air chaud qui restait là entre nos pensées, jardin suspendu rempli de fruits et de leur parfum. Elle aimait parler en commençant chacune de ses phrases par *avant* ou *après*

comme s'il y avait eu deux époques dans sa vie.
Je ne sais trop par quelle ruse de langage, il lui
suffisait de quelques phrases pour que je me
retrouve dans un monde surréaliste. Mais certains soirs, rien de festif dans son regard.
Méthodique et précise, elle racontait par ordre
chronologique les circonstances de ce qu'elle
appelait «l'histoire du mal». Une fois installé
dans les mots, disait-elle, le mal avait le pouvoir
de circuler librement. Ces soirs-là, les mots sortaient de sa bouche avec une telle autorité qu'on
aurait cru qu'il était en son pouvoir de rayer le
mensonge et le mépris à tout jamais de cette
planète. «Le machisme, disait-elle, fait des trous
dans l'âme des femmes et les femmes doivent
remplir de leurs larmes chacun de ces trous.
Quand les femmes n'ont plus de larmes, leurs
filles prennent la relève. À leur tour, elles se
penchent au-dessus des trous pour les emplir de
leurs cris.» D'autres soirs, elle parlait d'une
enfant perdue au bord de la mer. L'enfant avait
sculpté une sirène et une étoile de mer dans le
sable doux. La mer avait tout effacé.

Un jour, après que nous eûmes déjeuné ensemble à la Recoleta, elle voulut me montrer la
tombe de sa mère. Nous marchons entre les
caveaux. Il fait très chaud. Le cimetière est
désert à cette heure. Ici et là des fleurs, au pied
des tombes, des pétales, un balai appuyé contre
un mur, des outils qui traînent, un seau de
chaux. Nous nous arrêtons fréquemment pour
lire les inscriptions, pour caresser un visage
d'ange ou une madone ciselée dans le marbre. À
chaque arrêt, elle raconte une histoire. Parfois,
elle me devance, se penche pour lire une

inscription, puis elle se retourne vers moi attendant avec impatience que je me rapproche pour
relation de faits anciens, historiquement dou-
teux, lointains comme la Patagonie. D'une
tombe à l'autre, son enthousiasme ne tarit pas.
Nous arrivons bientôt devant la tombe d'Eva
Perón au sujet de laquelle elle ne dit mot, préférant évoquer les dimanches de son enfance et
les dimanches encore plus heureux où on per-
dait facilement la tête tellement l'odeur des
roses enivrait, on ne sait par quelle dérive, le
plexus et autres forces obscures de dévotion. Les
yeux rivés sur ses lèvres carmin, je bois chacune
de ses paroles. Autour de son visage, le bleu du
ciel et le blanc des murs font craquer la réalité.

Alors, une image sortie tout droit du monde de
l'improbable vient vers moi à toute vitesse.
L'image est si forte que mon corps est projeté
contre le sien, que ma bouche va vers la sienne
et que ma main cherche, tremblante sous sa
jupe, trouve une forme neuve et familière qui
change le rythme de ma respiration. Puis une
magie s'installe, parfaite chimie qui me fait frissonner de joie, qui la fait psalmodier «Dévaste-
moi jusqu'au rêve».

Après. Je peux témoigner que le délire de cette
femme est entré dans ma vie comme une soif
illimitée de savoir et de connaissance. Je fus
prise d'une frénésie de lectures, mais je refusai
de poursuivre mes études. Je me consacrai entièrement à la musique et à la lecture. Le monde
était un grand spectacle et j'appris très vite à le
regarder sans avoir peur. Pourtant, ce matin, je
l'avoue, cette voix grave entendue à la radio et
l'immobilité dans laquelle nous nous sommes

retrouvées ont semé en moi une terreur que je ne peux m'expliquer.

Il y a maintenant sept ans que je suis de retour dans ce pays. Le jour, je donne des cours de violon, le soir, je joue à l'hôtel Rafale. Mercredi et jeudi, je suis soliste. Vendredi et samedi, je suis la violoniste du Quatuor Tango Fiction. J'habite un quartier où j'ai de moins en moins l'occasion de parler anglais. Mon père vit toujours à Buenos Aires. Ma mère s'est installée à Mendocino, au nord de San Francisco. Je lui écris tous les mois. Faire l'amour avec vous avive en moi le goût de parler.

La jeune Sixtine avait remonté le cours du temps en changeant de visage, puis elle avait peu à peu repris ses traits de jeune femme en surveillant l'expression du visage de Cybil qui lui ne changeait jamais à cause des trois surfaces de bonheur qui recouvraient la solitude quand elle se concentrait.

———

Vers seize heures, Cybil proposa d'aller marcher dans la ville.

À la sortie de l'hôtel, elles prirent à gauche, du côté qui mène vers toutes les délinquances, là où la chaleur, les odeurs et l'espèce humaine toute grandeur et bêtise confondues convergent comme les rivières au printemps qui regorgent de décombres et de vie.

Elles marchèrent entre les grands édifices du centre-ville puis, sans autre point de repère que la misère ambiante, se retrouvèrent dans un monde d'hommes et d'adolescents. Habiles jon-

gleurs, ceux-ci s'échangeaient des airs de dicta-
teur et de mafioso burlesque dans un chassé-
croisé de mâchoires et de gueules toutes plus
menaçantes les unes que les autres. Ici et là
quelques femmes marchaient chargées de sacs
qui gênaient leur équilibre. Les rues étaient
sales, remplies d'ordures, et le vent sifflait autour d'elles. Les autos roulaient rapidement,
puis disparaissaient au tournant des rues en laissant derrière elles des lueurs effrayantes qui
entraient, impitoyables et sinistres, dans les
yeux. Cybil pensait que l'histoire était toujours la
même avec des os qui font le guet au milieu des
sens et du plaisir. Ce qu'il y a dans nos pensées
est ce qui renouvelle l'histoire. L'histoire est
jeune et quelqu'un l'encombre de morts pour
parer au vide.

Quelques coups de feu résonnèrent dans le loin.
Cybil sursauta. La Sixtine prit un air protecteur
en disant qu'il ne fallait pas s'en inquiéter.
Marcher dans une ville est ce qu'il y a de plus
civilisé. Nous ne pouvons pas interrompre notre
marche à cause de quelques bruits suspects. Le
soleil est bienveillant. Le futur procure du bonheur si on sait l'imaginer comme un jeu de
hasard. Et comme pour prouver qu'elle savait la
violence et la cruauté pérennes, la jeune Sixtine
avait fait allusion à un vieil écrivain français
qu'elle avait récemment vu à la télévision.
L'homme avait raconté la splendeur et la magie
que l'enfant qu'il avait été au début du siècle
avait découvertes dans les rues de Pékin. Il avait
décrit le supplice du Leng-Tch'e. La foule bigarrée s'empresse autour du supplicié alors qu'on
taille un à un ses membres et qu'on lui arrache

le cœur. L'écrivain avait employé le mot extase pour expliquer l'expression confuse que l'extrême douleur dessinait sur le visage du supplicié. Il avait aussi trouvé des mots pour décrire l'odeur caractéristique du sang fraîchement versé ainsi que l'effet prodigieux que produisaient les rayons du soleil en pénétrant les viscères de l'homme encore vivant.

«Je connais ces images, dit Cybil. Elles ont d'abord été publiées en 1923 dans un traité de psychologie, puis en 1961 par un auteur qui les a investies d'une dimension érotique.» Tout en disant cela, elle accéléra le pas et pendant un bon moment, les yeux à la hauteur du vide, elle murmura des paroles dont le sens échappa à la Sixtine.

L'aparté en langue mystérieuse fut interrompu par les cris d'une femme qui gesticulait au milieu de la rue en montrant sa poitrine tachée de sang. Un policier apparut qui s'empressa d'appeler une ambulance. Cybil Noland voulut rebrousser chemin, mais la Sixtine mit son bras autour de ses épaules et l'entraîna dans une autre rue aux murs pleins de bavures. Un homme cria deux syllabes qui allèrent s'écraser en forme de graffiti sur un mur de stuc rose. À chaque terrain de stationnement, la ville montrait ses dents d'aluminium au soleil qui, à son tour, multipliait les possibilités d'incendies et de fiction. Une fois de plus, Cybil Noland sentit la force et le nombre des questions. Elle les vit tournoyant autour d'elle et de la Sixtine comme ces tornades soudaines et ravageuses qui inspirent la panique; puis les questions allèrent s'engouffrer dans les taudis avoisinants, d'autres ricochèrent sur la devanture des vidéoclubs qui clamaient le règne de l'individualisme et de l'image. Lentement, la ville prit des tons de gris et de bleu.

Une autre rue. Ici et là des femmes aux biceps tatoués, des hommes torses nus, mamelons percés, déambulaient, crâne rasé, bottes noires. Armés d'un vocabulaire neuf, ils laissaient les murs tranquilles, préférant dans leur chair des signifiants plus directs. Ils portaient la peur et le danger dans leur corps ne s'armant qu'à l'occasion de rencontres sexuelles où l'électricité d'un seul coup sortait bruyamment de leur chair.

Les pensées de Cybil s'enlisèrent au milieu d'un théâtre séculaire où la mort balance tout avec des bras grands de bourreau. Le bourreau est un prince qui ne compte pas les gouttes de sang sur son front libre et solitaire. Homme affairé, il tient entre ses mains, bijou ciselé de culture, un membre inquiet dont on ne sait quel malheur, quelle vengeance le dressent, quel espoir le garde ainsi tendu.

———

La Sixtine proposa de rentrer à l'hôtel. Il lui fallait se préparer pour le spectacle du soir. Sur le chemin du retour, elle salua un vieil homme qui jouait du violon devant le mur d'une maison abandonnée. La Sixtine dit qu'il venait de Las Vegas où il avait été croupier pendant trente ans. Un jour, après une fusillade qui avait causé un attroupement de curieux dans le quartier, l'homme avait joué, manifestement heureux d'avoir un si vaste auditoire. Il avait interprété *I did it my way* et une sonate qui avait ému la

Sixtine. Les gens s'étaient lentement dispersés. La Sixtine et une jeune Afro-Américaine s'étaient attardées auprès du musicien qui n'avait pas tardé à monologuer sur sa jeunesse. La femme noire l'avait interrompu en disant «*play black*» et l'homme, ayant mal entendu, avait repris le premier mouvement de la sonate. Il avait ensuite rangé son violon en évoquant avec des mots raffinés la sensation qui parcourt les doigts, monte jusqu'à l'épaule et au cou avant d'aller se loger dans la tête comme une interrogation sur le monde des vivants. Il avait employé une étrange comparaison pour dire que la main qui tient l'archet doit toujours être gracieuse, fertile et exciter l'imagination comme les bras gantées d'une femme élégante. Puis sans autre transition qu'un geste de la main au-dessus de sa tête, l'homme leur avait fait signe de s'éloigner.

La Sixtine avait investi le geste d'une valeur symbolique en l'associant à une forme de noble désinvolture, à un traitement libertaire de l'espace aérien. Depuis, elle le répétait à la fin de son spectacle. Le geste avait, semble-t-il, le pouvoir magique d'éloigner les hommes friands de scénarios nocturnes et hardis auxquels ils associaient immanquablement la jeune musicienne.

C'était à cause de ce geste que la veille elle avait suivi Cybil dans sa chambre. Elle se rappelait maintenant qu'après avoir joué la dernière note, elle avait omis de tracer dans l'air enfumé le geste fétiche. Il avait alors suffi d'une fraction de seconde pour que Cybil Noland entre dans son univers. Leurs regards s'étaient interrogés à la vitesse du sang qui monte à la tête. La Sixtine avait acquiescé des yeux à une question lointaine. Elle avait remonté le cours du temps, séduite par la forme de l'imprévu. Dans l'ascenseur, croisement fertile d'anticipation et de tension, elle s'était sentie tout à la fois vulnérable et aguerrie, excitée comme trente-six lionnes marchant de front dans la savane vers l'aube.

De retour à l'hôtel, le hall est rempli d'hommes et de femmes qui conversent. Cybil Noland monte directement à la chambre pendant que la Sixtine se dirige vers la consigne où elle récupère son violon, sa robe noire de spectacle et une trousse à maquillage.

—

À cette heure-ci de la journée, la chambre a une allure sombre, inquiétante. Il faut allumer toutes les lampes si on veut lire, écrire ou encore se maquiller. La Sixtine est assise devant la coiffeuse sur laquelle elle a déposé la trousse de maquillage. Une partie du lit se reflète dans le miroir de la coiffeuse. Cybil Noland est allongée au fond de l'image, les bras croisés derrière la tête. Plus petit, le miroir de la trousse réfléchit le visage de la Sixtine. Entre les femmes, la distance s'installe, matière à réflexion, jeu de séduction. D'où elle se trouve, Cybil embrasse deux fois du regard l'image de la Sixtine, une fois seulement sa propre image au fond du lit où les traits se perdent.

La Sixtine manie habilement les éponges, les crayons et les pinceaux pour qu'ils sécrètent fard, poudre, mascara comme des matières à spectacle capables d'assombrir le jour et d'éclairer le sentiment, couleurs qu'on insère dans le rêve pour y faire briller la nuit, point de repère et de douceur.

Dans le miroir, les yeux de la Sixtine se changent en formes oblongues: œil Oudjat qui persiste dans les yeux de Cybil. D'autres hiéroglyphes défilent majestueusement: un oiseau, un pied, un scarabée, une bouche, un lièvre tel un alliage sémantique, une douceur des sens qui dose admirablement l'animal et l'humain comme ne le feront jamais les graphies occidentales. Puis ça tourne de l'œil et des mots dans la tête de Cybil. Signe après signe, la femme de Hyde Park réapparaît. La voilà gravissant le grand escalier du British Museum. Son imperméable rouge laisse une traînée de lumière entre les statues, les bustes et les sarcophages. La femme est maintenant debout devant la pierre de Rosette. La tête d'un lion l'intrigue et elle se demande dans quelle direction va le sens.

Prise dans le vif de l'actualité, la question se répète. Dans quel sens va le sens de la vie qui n'a pas de sens puisque le jour et la nuit sont ronds? Le sens était-il donc seulement dans la question comme un désir de déchiffrement devant les vies qui font progresser le récit du monde en ramifiant les gestes et les intentions? Le sens se cachait-il tout entier dans la méthode de survie, les outils et les stratégies inventés pour faire face? Face de rêve contre surface quotidienne.

Imaginer donnait à la vie un autre tournant qui laissait supposer que la vie avait un sens. Quand l'impression était de bonheur, le sens figeait. Quand la douleur se montrait, le sens reprenait ses droits, incitait à de prodigieuses croyances, à

de terribles altercations avec le monde des
vivants. Chaque altercation engendrait de nouveaux mots, forçait le sens comme on tord un
poignet. La détermination augmentait. Alors
l'*alter ego* entrait dans le sens. L'*alter* altérait la
valeur des signes et l'*ego* recommençait tout de
go. Maquillage, tatouage, perçage et déborde-
ment de sens se succédaient. La vie trébuchait
sur les valeurs nouvelles. Se relevait, l'horizon
collé au front comme un écran. Les générations
se succédaient. La vie donnait au corps des
munitions pour la vie. Le futur avalait. La mort,
elle, faisait comme prévu. Déchiffrer, murmurait
Cybil. Déchiffrer, calculer les chances de vie au
milieu des signes. Calculer en chaque signe une
plus-value permettant de danser au milieu des
questions et de justifier le bonheur. Arrondir les
erreurs du passé de manière que personne ne
puisse être fait comme un rat.

Cybil observe la Sixtine, émue par sa beauté,
mais bientôt son regard s'assombrit: les mots et
les images se livrent un féroce combat. Qui de
l'image ou des mots l'emportera aux yeux des
mortels anxieux de faire preuve de leur humanité et de trouver support à leurs rêves?

Maintenant, la Sixtine n'est plus que gros plan
dans le miroir carré de la trousse. Avec un pinceau, elle suit méticuleusement le contour des
lèvres, puis elle les colore d'un rouge vif qui
brille comme mille scénarios dans l'histoire des
femmes.

Cybil s'est levée. La Sixtine a refermé la trousse
de maquillage. Tout s'embrouille. Les gestes diffèrent de ceux de la veille. Autres mots, autres

caresses. La chambre s'emplit d'une énergie toute vierge. Les corps s'immolent, s'immobilisent, frôlent l'extase. Les yeux s'éprennent de l'invisible. Le temps se calcule à la seconde près dans l'âme de chacune. Le temps en chacune est précieux signifiant.

—

Le bar de l'hôtel Rafale est rempli à craquer d'un public enthousiaste. Les femmes sont maquillées comme la Sixtine. Les hommes portent de belles moustaches comme dans les romans anciens. Le quatuor fait des merveilles, inonde la réalité de mille fantasmes, déclare la guerre à l'ennui et à la médiocrité, jette du neuf dans les regards.

Tous les vendredis, le Quatuor Tango Fiction a fière allure quand il entame les premières notes de *Tanguedia III* de Piazzola. La complicité est parfaite entre le bandonéoniste, le pianiste, le contrebassiste et la Sixtine. La vie circule comme une folle entre les soupirs. À chaque note, elle terrorise, émeut, bouleverse, déclare son amour, fait ses adieux, fomente des silences inexplicables qui glissent nerveusement entre les jambes, happent les chevilles ou s'enroulent autour des mollets. Si folle la vie qu'on ralentit un peu en fermant les yeux. Puis elle revient: ici un pied, un œil, une bouche, une note qui fond entre les lèvres, longe la courbe d'un sein.

La Sixtine est singulièrement belle sous l'éclairage, dans l'artifice du fard. C'est le temps des suppositions. La vie se renouvelle puisque quelqu'un quelque part, n'en pouvant plus du bruit ou du silence, imagine.

La Sixtine donne le meilleur d'elle-même. Le meilleur étant habile manière de rompre le cours naturel des choses et de le rendre par la suite si vivant qu'on le croit en fête, en vérité, langage à la mesure exemplaire de notre nature. Pour le moment, le plaisir passe par la main qui tient l'archet, par les yeux qui absorbent sans ciller les sons stridents striant la mélodie. Cybil pense aux toiles de Luciano Fontana qui, lacé-rées d'un seul coup, ouvrent l'œuvre, fendent le cœur et font du déchirement une question de fond.

Assise au fond de la salle, Cybil Noland file un parfait tourment de plaisir. Aucune part de rêve n'entre dans son bien-être. Tout est présent, réel, très physique. Énorme présent. Qui a placé en moi un tel pouvoir de bonheur? Qui donc m'a fait si heureuse dans un monde d'horreur? Le mot horreur distrait un instant Cybil mais le présent qui ne perd rien pour attendre revient, la replonge crûment dans le plaisir des sons, de la chaleur du bar. C'est parce que je suis heu-reuse que j'ai refusé à la Sixtine une histoire. Le bonheur m'abstrait du monde, me rend le monde abstrait.

Maintenant le quatuor interprète *Michelangelo*. La salle écoute religieusement. Debout derrière le bandonéoniste, la Sixtine prend des allures de huitième merveille dans sa robe noire.

Le spectacle terminé, la Sixtine alla déposer son violon à la consigne. Les deux femmes prirent l'ascenseur. Encore sous l'effet de la musique, la Sixtine ne dit mot. Elle ne sait rien de la femme aux cheveux gris qu'elle suit pour une deuxième nuit. Cybil Noland enlace la taille de la jeune femme.

━━

Dans le lit vaste, la Sixtine vint sur Cybil. Visage contre visage. L'œil Oudjat brille de tout son pouvoir dans l'éclairage tamisé de la chambre. La Sixtine restera longtemps dans cette position. Elle pourra, croit-elle, lire dans l'âme de Cybil, entrer dans sa vie, caresser chaque ride, tous les secrets cachés dans les plis de vie sur le front, autour de la bouche, sous les yeux, dans le beau gris des cheveux.

Cette femme me regarde au présent du passé, pense Cybil, pendant que la Sixtine s'interroge sur la mystérieuse graphie que le temps a dessiné du sommet de la poitrine à la naissance des seins.

Et pendant que la Sixtine essaie par mille ruses d'entrer dans le monde des pensées de Cybil, la conscience du temps s'infiltre en elle comme une implacable gestuelle qui berce le cœur en répétant son cycle de vie et de mort.

Sans fermer les yeux, Cybil est aussi entrée dans le vaste espace qui permet de circuler d'un siècle à l'autre, de voyager entre les visages, de se retrouver enfant courant dans le sable ou lectrice au bord de la mer avec un vent terrible qui tourne violemment les pages et lisse les cheveux sur le crâne.

La Sixtine a glissé sa langue dans l'oreille de Cybil, ses doigts ont réveillé le ventre de la femme afin que toutes deux coulent, roulent parmi les images, filent à toute vitesse dans le piège du rêve si vaste qu'il est encore possible d'y naviguer librement, de s'essouffler en zigzaguant entre les personnages avec de la mémoire et du présent à souhait partout dans la bouche.

Les gestes de la Sixtine sont comme autant de récits amorcés, de partitions allègres et fougueuses. Puis, la vie dépasse les bornes, ruisselle de partout et encore.

Il en sera ainsi toute la nuit. Elles circuleront dans le temps, menant de front plusieurs vies de femme, changeront de costumes, de manières et de maquillage. Elles tendront leurs bras dans la nuit multipliant les ombres sur les murs de la chambre. Elles fileront à toute vitesse, voiliers ailés. Toute la nuit, elles veilleront, seront marines, euménides, amazones, madones et sirènes. Poètes dans le grand vivier de la nuit.

Rimouski

J'ai toujours cru que la littérature c'était comme la mer.

J.-M. LE CLÉZIO

Nous sommes une espèce asservie au récit.

PASCAL QUIGNARD

1

Le fleuve est une présence obsédante. Un argument qui balaie toute inquiétude. Au gré des marées, il dénude le paysage, le recompose, avale des centaines de roches énormes, puis les rejette rutilantes avec des rondeurs de Vénus callipyge qui prennent la relève au milieu des cormorans, des râles, des corbeaux et des ulves.

Temps gris. Gris vaste de mer au milieu de mai. Un vent insécable fonce à l'oblique sur la rive, vers la ville, masse grise, s'enfonce dans les yeux de Cybil Noland qui va, avenue de la Cathédrale, en direction du fleuve. Près de la voie ferrée, la Cantine de la Gare dégage une forte odeur de frites aussitôt happée par la mémoire qui transforme la cantine en casse-croûte au bord d'un lac bleu.

À la hauteur du bar Sens Unique, la cathédrale et le fleuve forment un couple atavique troublant qui fait bruisser l'histoire, éveille le vieux réflexe de penser rives enneigées et langue française en même temps que le mot pays trouve sa place dans une phrase que Cybil Noland cherche à terminer. La flèche scintillante de la cathédrale élance dans la mémoire comme la douleur dans un bras fantôme.

Dans sept jours, Cybil a rendez-vous avec l'océanographe Occident DesRives qui a navigué sur tous les océans et sur toutes les mers de la planète. Un projet de livre sur la mer. Au large du Río de la Plata. Cybil a devancé son arrivée à Rimouski pour travailler à un texte étrange écrit, il y a deux mois, durant un séjour à Los Angeles où elle avait entamé une histoire. Elle s'est installée à l'hôtel des Gouverneurs. Sa chambre donne sur le fleuve et l'île Barnabé.

Il y avait maintenant plus d'un an que Cybil Noland songeait à son prochain roman. Le roman s'organiserait autour de ce qui, encore énigmatique en elle, se déploierait dans quelques mois majestueusement comme une longue métaphore de vie ou cruellement au rythme de la conscience qui ne laisserait rien au hasard. Elle aimait cet état précurseur de dimension nouvelle qui la rendait vulnérable, néanmoins s'affirmait en elle comme un signe d'espoir. Signe certain que tout ce qu'elle avait vécu, pensé ou lu allait avoir une suite et que, dans l'espace inédit du prochain roman, elle parviendrait peut-être à percer quelque secret de la condition humaine, resté indéchiffrable jusqu'à ce jour. Pour le moment, il y avait une euphorie sans récit, une myriade d'images qui valaient mille récits, qui voilaient le récit. Chaque fois qu'un élément de récit était sur le point de prendre forme, elle laissait faire un instant la forme, puis si la forme se transformait en un sujet, alors elle notait non pas le sujet mais comment la forme s'était transformée.

Ainsi le sujet de son prochain roman pouvait-il lui échapper pendant des mois, obsédant et inaccessible. Sujet qui lui semblait toujours proche et lointain comme l'empreinte visuelle d'un monde à rattraper, enfoui dans le nombre effarant des permutations sémantiques, perdu dans l'immensité de l'espace et de l'espèce, monde infiniment précieux que la conscience allait tenter de réinsérer dans le langage ou d'en imaginer le versant inédit.

Ce matin, elle a relu plusieurs fois ce qui pourrait être le début d'un roman. À chaque lecture, le même sentiment d'inconfort revient. Sans se l'avouer, Cybil sait qu'elle a transgressé une convention respectée par ceux et celles qui, de tout temps, ont voulu se soustraire à la réalité afin de mieux plonger, tête capricieuse, dans son théâtre spectaculaire où les mystères de la vie se transforment en ornements de parole.

En donnant son nom à la femme de l'hôtel Rafale, Cybil sait qu'elle a commis une faute de jugement qui risque de la compromettre, de la priver des licences, des râles et des délires d'écriture permettant d'aller librement au-devant de l'imagination. Cybil Noland, personnage, compromet l'existence de Cybil Noland, romancière. «Il se peut que Cybil Noland ne soit qu'un homonyme, auquel cas je n'ai aucune raison de m'inquiéter.» La femme essayait par mille ruses de pensée de corriger son erreur et de justifier une audace dont le narcissisme l'écœurait un peu. Parce qu'elle ne savait pas encore nommer son geste, l'inquiétude persistait, la maintenait suspendue au-dessus d'un vide critique.

D'une pensée à l'autre, Cybil se souvint d'une conversation qu'elle avait eue, il y a cinq ans passés, avec Nicole Brossard, une romancière rencontrée à Londres à l'occasion d'un colloque sur l'autobiographie. Elles avaient passé beaucoup de temps ensemble, se donnant rendez-vous tous les matins pour le petit déjeuner et en fin d'après-midi dans un pub de Covent Garden. Elles passaient des heures à converser, parlant de leurs lectures et de ce que l'écriture représentait pour elles. Un jour, la romancière avait dit: «On ne peut pas toucher à l'essentiel en mettant son petit moi au cœur de l'action non plus qu'en le prenant à partie, pourtant si un seul personnage, le vrai, reste emmuré en toi, tous les autres seront fous de douleur. Ou inutiles. La moitié de ce que tu penses est fiction, l'autre moitié est répartie dans le corps comme un jeu d'ombre et de lumière.»

Brossard s'exprimait avec beaucoup de chaleur et de conviction en appuyant ses coudes sur la table et en regardant Cybil droit dans les yeux. La serveuse leur avait apporté une deuxième bière. Une bière forte et rousse dont la saveur semblait avoir la propriété de multiplier les mots. Brossard avait poursuivi en prétendant qu'il était absurde de vouloir entrer dans le monde de la fiction en restant soi, même collée à la vérité de ses rêves les plus fous.

Cybil ne voulut pas la contredire. Elle détourna la conversation en lui demandant pourquoi elle réunissait si souvent ses personnages autour d'une table de restaurant ou de travail. «Je ne sais sans doute pas assez souffrir pour imaginer ce qui se passe dans le cœur des gens» et elle avait tourné la tête en direction des kiosques où s'affairait une foule de touristes et de badauds, laissant à Cybil tout le temps de s'interroger sur le nez aquilin de la romancière. Pour rompre le silence, Cybil avait demandé d'où elle tenait ce nom français. «Brossard est le nom de ma mère. Mon père s'appelait Reed Vanguard. J'aurais pu écrire en français. J'ai choisi de porter le nom de ma mère et d'écrire dans la langue de Mister Vanguard.»

À partir du mot mère, les pensées de Cybil avaient suivi un autre cours et bientôt Cybil s'était retrouvée sur la plage du lac Écho de son enfance. Les mères et leurs enfants. Les enfants et leurs cris. Le samedi et le dimanche, des papas debout, le dos tourné à la plage, fument de gros cigares en parlant de chalets et de chaloupes. Les mères ont d'énormes seins. Il y a beaucoup de barbe sur les jambes des pères. Les femmes sont assises sur des chaises basses. Quelques-unes, agenouillées dans le sable, mouchent un enfant, ajustent la bretelle d'un maillot, enduisent énergiquement les corps douillets de leur progéniture d'une crème solaire orange. Histoires de famille, les mères chuchotent de petits malheurs, font des projets pour leurs enfants, s'attristent de la maladie d'une belle-sœur. Une grande femme aux cheveux noirs et à la peau bronzée est assise devant Cybil. Quand elle se croise les jambes, Cybil découvre, entre la culotte du maillot et l'entrecuisse, une touffe de poils qui brille dans la lumière de l'avant-midi. Le bruit d'un hors-bord enterre les voix. Ensuite, il y a le clapotis des vagues et Cybil s'endort sur la baleine bleue qui orne sa serviette de bain.

Cela faisait maintenant près de trois heures que Cybil relisait son texte en dérivant d'une image à l'autre. Rien n'arrivait qui puisse la rapprocher de la convention romanesque. Elle prit un chandail et s'en alla marcher dans les rues de la ville en entretenant l'espoir inavouable que la vraie vie serait si calme qu'elle n'aurait d'autre choix que de rentrer précipitamment dans sa chambre et de réintégrer la ville armée jusqu'aux dents en s'interrogeant sur Cybil Noland.

Marcher dans la ville rassure Cybil, car elle a toujours associé la marche à l'idée de liberté. Corps en mouvement, flux incessant des pensées qui, au hasard des aboiements, des blasphèmes et des billes rapides que sont les *fuck off* universels, n'en reflètent pas moins les mille attentions que nous avons pour la lumière et la portée des mots tout autour. La ville, bien que paisible, soulève un lot de questions qui font leur nid dans le vaste gris d'aujourd'hui. Des gens entrent et sortent de petits commerces où l'on vend du chewing- gum, des articles de pêche et des billets de loto. Dans les rues plus tranquilles, de grands escaliers et de longues galeries en bois exhibent des barreaux qui de loin ressemblent à des tibias. Plus loin encore, c'est le silence. D'une certaine manière, la vie s'appuie en toute légitimité sur la beauté du fleuve. Le vent nettoie le tapage urbain, atténue l'agitation mercantile si bien que les piétons passent facilement pour des figures esseulées entre ciel et terre. Aussi Cybil se met-elle à douter de l'existence des villes armées jusqu'aux dents. Un doute lent, insidieux, progresse comme la journée, de sorte qu'à seize heures, après s'être installée à la terrasse Saint-Germain, la romancière est envahie d'un incommensurable sentiment d'inutilité. Car si la ville armée n'existe pas, pourquoi la décrire, pourquoi s'inquiéter de son existence, pourquoi la condamner? «La moitié de ce que tu penses est fiction.» Alors compare!

Plus tard, dans la soirée, en marchant le long de la rivière, Cybil aura la certitude qu'il ne faut pas comparer les villes, les vivants, le fleuve à la mer. Pourtant comparer est la meilleure manière de trouver anecdote à son dire, de garder l'œil ouvert, prêt à intervenir au milieu des récits. Comparer est la solution durable des vivants.

2

Les quelques lettres qu'elle avait reçues d'Occident DesRives lui avaient laissé une bonne impression de la femme qu'elle imaginait courtoise, efficace, conviviale. Son style épistolaire l'avait ravie. Occident DesRives avait le don de faire s'entrelacer dans un même paragraphe des hypothèses de travail, des horaires et de belles expressions concernant les courants marins, le vase océanographique et la chaîne de vie. Dès sa première lettre, elle avait su capter l'attention de Cybil en mentionnant les noms de Jules Verne, de Melville, de Léonard de Vinci et de Joseph Conrad. Elle avait aussi recommandé *The Oxford Book of the Sea*.

Après la deuxième lettre, Cybil se mit à rêver de Buenos Aires et du Río de la Plata. Elle se voyait la nuit marchant dans les rues de Buenos Aires au milieu des airs de tango. Occident DesRives l'accompagnait. Elles allaient bras dessus, bras dessous comme des *portenas*.

Dans sa troisième lettre, Occident répétait: «Vous aurez la latitude de vos désirs. Comme on dit ici en parlant du hockey, je veux des émotions, votre intensité.» La phrase se terminait par un point d'exclamation en forme de dauphin.

Cybil se laissait courtiser. Elle ne répondait que par télécopieur, griffonnant deux ou trois lignes pour dire qu'elle réfléchissait à la proposition. Chaque message

était immédiatement suivi d'une lettre d'Occident.
Tantôt c'était une nomenclature dans laquelle défilaient poissons-volants, poissons-gâchettes, poissons-
docteurs à queue jaune, poissons-trompettes, tantôt
Occident parlait d'instinct et d'intelligence, de domi-
nation et de soumission, de procréation, de territoire et
de l'attraction des femelles. Dans une autre missive,
Occident donna des explications sur le carottage et le
sondage à ultrasons. Une autre fois, elle décrivit l'activité sur le pont à l'heure des changements de quart.
Elle avait terminé cette lettre par la description d'un
coucher de soleil en mer et Cybil avait eu l'impression
que les quelques mots qui avaient servi à désigner la
mer ainsi que la boule de feu suspendue au-dessus de
l'horizon cachaient une quête démesurée d'absolu.

La nuit, Cybil rêvait, nageait dans des eaux limpi-
des où défilaient des bancs de poissons aux joues ver-
meilles et aux écailles jaunes que la lumière bleue de
l'eau portait amoureusement comme des bijoux. Un
matin, elle se réveilla en sueur, affolée par la vue d'une
baudroie femelle, terrorisée d'avoir été frôlée par le
grand serpent des mers qui dessine toujours la même
lettre arabe au fond de l'obscur.

Le lendemain de ce cauchemar arriva une lettre
accompagnée du catalogue de la dernière exposition
d'Irène Mage. C'était la première fois qu'Occident
mentionnait la possibilité que la photographe soit du
projet. Cybil eut un petit pincement de cœur. Elle avait
imaginé le projet entre elle et Occident, un projet de
lettres et de science. Sans image.

Cybil connaissait le travail de la femme. Elle avait
vu deux de ses expositions. Toutes ses photos étaient en
noir et blanc. Elle ne lui connaissait qu'une seule
œuvre en couleurs, qui l'avait d'ailleurs rendue célèbre:
Le triptyque cruel. À gauche, Montréal illuminé, au centre, un parc, une robe rouge allongée sous un arbre, à

droite, un jonc et un coup de poing américain sur une table de cuisine. L'œuvre avait été commentée mille fois.

Plongée dans la lecture du catalogue, Cybil s'interrogea pour la première fois sur les raisons qui avaient incité Occident à se choisir comme partenaires deux artistes dont l'art n'avait rien de «naturaliste».

Puis, un jour, Cybil avait écrit à Occident en disant qu'elle acceptait de la rencontrer à son retour de Los Angeles. Au mois de mai. Elle ne fit pas mention d'Irène Mage.

3

Aujourd'hui, le soleil. Une lumière si belle qu'elle donne l'impression que plus personne ne va mourir sur cette terre. À cause de la lumière, Cybil s'est mise dans la tête que le temps est venu de résoudre la question du nom. Au pis aller, il faudra le refouler en détournant l'attention vers la Sixtine. Déjà, elle s'imagine à l'opéra, assise dans la même rangée que la Sixtine et la femme de l'amiral. De là, elle peut les observer. Leur présence la rassure. Mais bientôt le nom de Cybil Noland réapparaît, voile entièrement le personnage. Il n'y aura donc pas de répit au questionnement. Il faudra faire parler cette femme. M'introduire dans son univers sans briser le fil, si ténu soit-il, du récit amorcé dans la chambre de l'hôtel Rafale.

Connaître le passé de quelqu'un, c'est le déposséder de son présent. La lumière n'existe qu'au présent. Pur présent de beauté. Connaître le passé de Cybil Noland, même en l'imaginant, c'est lui voler son présent.

La marée commence à descendre. Les roches ne sont encore que de petits chapeaux melons chatoyant sous le soleil radieux. Dans deux heures, leur nombre et leur forme auront quelque chose d'obsédant, changeront l'horizon en paysage lunaire. Désolé.

La lumière, pense Cybil, est un sujet sur lequel il est difficile de s'attarder, car dès le soleil levé, les couleurs prennent la relève, découpent la réalité en mille mots et objets avec lesquels il faudra vivre toute la journée en pensant que le monde des apparences pèse lourd sur la conscience.

Il devait être midi quand Cybil Noland prit son appareil photo et sortit de l'hôtel des Gouverneurs. Un homme lui a ouvert la porte en marmonnant sur un ton amer: «Les femmes, faut en prend' soin.»

D'abord aller manger à La Nature. Plus tard, marcher en direction d'un énorme bâtiment, sans doute l'université. Gravir la côte de la rue Jean-Brillant. Essoufflée, Cybil s'est retrouvée près de la voie ferrée. Il a suffi de marcher cinq cents mètres pour que la ville prenne un air de champ vague, de silence et que le fleuve se montre, lame horizontale sous le ciel, héros bleu.

La ville s'arrête avec le cimetière. Il est rempli de noms gravés dans la mémoire collective. La vie recommence avec ses dates de naissance, ses noms de baptême et d'épouses, ses riches et ses humbles, ses bouquets de fleurs, ses anges et ses allégories qui font peur.

Le temps œuvre, rongeur qui construit son futur. Visage trompeur, il multiplie les virages et les barrages, puis sans avertissement, insaisissable comme tout, il remplit les yeux d'une énergie de velours.

Les cheveux au vent, comme sur un transocéanique, Cybil est accoudée au langage, regarde au loin pendant que le vent du nord, pendant que le dé du désir, qui n'équivaut pas au hasard mais à une volupté de manège, soulève en elle l'extra des pensées permettant de naviguer entre les siècles.

Durant les trop belles journées de mai, Cybil peut ainsi plonger directement dans l'absolu inutile et en même temps se tourner du côté de la mer essentielle, car, somme toute, le temps qui n'a rien à prouver est lisse comme une belle feuille blanche qui n'a pas encore pris l'humidité.

En certains endroits, en plusieurs endroits même, la terre semble fraîche, franchement remuée. À Buenos Aires, il n'y a sans doute pas de terre dans le cimetière. La pierre fait le travail. On emmure, on plâtre, on balaie mais on ne bêche pas, on ne retourne pas la terre. Là-bas, la lumière allume parmi les ombres des feux sur le bronze qui détourne l'attention et le respect qu'on doit aux morts. Quand elle s'installe, très spectaculaire, sur les ailes d'un ange ou qu'elle s'enroule autour d'une stèle comme un beau serpent attiré par la chaleur, la lumière fait signe de passer son chemin.

Dans un cimetière, on doit pouvoir prendre la relève du temps et des idées, du désir de vie, de tout ce qui entre dans les pensées et les images de chaque génération: la vie avec ses noms propres, ses rituels sous la pluie, dans la neige, dans la splendeur de mai qui rend les yeux légèrement absents.

Ici, rien de ciselé pour rendre la mort somptueuse. Seulement une suite de mortalités où la relève se cache dans des actes notariés.

Cybil tourne autour des tombes, cherche des noms familiers. Quelqu'un marche dans un sentier. Cybil s'approche, demande, en tendant son appareil photo, qu'on la photographie au milieu des sépultures. Elle sourit comme elle l'avait fait l'an dernier au cimetière du Père-Lachaise devant les tombes de Gertrude Stein, d'Édith Piaf et de Marcel Proust. Elle se sent ridicule. L'inconnu s'éloigne. Le bruit de ses pas sur le gravier grésille dans l'air tiède. Au Père- Lachaise, elle avait eu le sentiment d'être dans un musée. Il lui avait été facile d'oublier les morts au milieu des grands arbres, des sculptures et de la lumière qui filtrait entre les siècles. Là-bas, elle avait souri, naturellement fière comme si elle avait pris le bras de Proust, ou senti la main de Stein sur son épaule. Là-bas, son sourire avait un sens. Ici la solitude trompait ses réflexes.

Le chant d'un cardinal. Un mulot qui file entre les tombes. Au loin, le fleuve. Des noms de famille. Cybil fait quelques photos pour plus tard, quand elle voudra, elle ne sait pas encore quoi.

4

Le quatrième matin, le téléphone sonna et une amie de longue date ayant appris la présence de Cybil à Rimouski lui proposa d'aller déjeuner à Sainte-Flavie. Elles pourraient s'arrêter à Sainte-Luce-sur-Mer où Jasmine avait un chalet. Cybil accepta. La journée était parfaite comme un bleu de Provence. Dans le hall de l'hôtel, Jasmine lui offrit son dernier recueil de poésie comme un gage d'amitié et de continuité, un présage à leur conversation qui ne manquerait pas de les entraîner, devant la mer, à s'interroger sur la fièvre des vivants qui, temps de paix ou de guerre, ne cessent jamais de trembler.

Dans l'auto, Cybil, qui n'avait pas ouvert la bouche depuis trois jours, parla volubilement du roman comme d'une platitude qui donne l'illusion qu'on peut savourer deux fois mieux le réel ou l'envoyer paître si on a suffisamment d'électricité entre les dents pour oser cela. Et des lames dans les yeux pour découper les paysages qui nous bouleversent sans raison. Jasmine conduisait, allumait une autre cigarette. Cybil ne quittait pas des yeux la mer.

Elles roulèrent vingt minutes avant de s'arrêter au cimetière de Sainte-Luce-sur-Mer. Jasmine dit qu'elle voulait être enterrée là, collée à la mer. Cybil prit quelques photos. La mer partout. Quelques tombes.

Les plus humbles blanches comme de la craie. La plus spectaculaire avec une Vierge et un Christ.

Le chalet est à quelques pieds de la mer. La marée basse. Les livres font partie de la maison comme des «épaules puissantes[1]» qui ralentissent la fuite en avant, protègent contre l'ignorance, enferment dans la lucidité.

Jasmine ouvre une bouteille de vin blanc. Cybil regarde du côté de la mer, dit que ce lieu est d'écriture. Elle fait deux photos. Jasmine devant la mer. La mer sans personne. Dans le salon, elles vont parler longuement de l'amitié, de la mort qui commence à partager la réalité en deux, de la littérature qui hésite à faire face avec son œil bouleversé, toujours tenté par l'univers, une fenêtre, un arbre. La littérature toute paradoxale, pleine de ferveur malgré les répétitions, les rechutes, l'idée qu'on peut tomber bien bas si on ne trouve pas les mots, s'il n'y a plus de mot pour remonter à la lumière du jour. Notre apparence. Nos apparitions, notre présence exténuée au milieu des référents qui font mal à cause des images rapides qui avalent le sens au fur et à mesure.

Le soleil se déplace dans la pièce. La fumée des cigarettes distribue la lumière comme au théâtre. Jasmine se lève, remplit les verres. La conversation se déplace du côté de la vie quotidienne à Rimouski. Cybil demande si elle connaît Occident DesRives. Jasmine parle longuement d'une scientifique heureuse. Surréaliste. Intelligente et saine d'esprit. Une énigme pour les consciences malheureuses dont le cœur bat à coups de verbe.

Il est l'heure d'aller manger. Jasmine range les verres et la bouteille. Ferme les volets.

À Sainte-Flavie, elles s'arrêtèrent devant l'affiche explicite du restaurant Capitaine Homard. Là, elles burent du muscadet, mangèrent des crabes et parlèrent, l'une de la langue maternelle, l'autre d'une autre langue dont s'abreuvent les mères assoiffées de connaissances. Cybil compliqua les choses en disant qu'en projetant leurs corps adultes dans le royaume des miroirs que constitue l'aura du soi, les hommes raturent souvent d'un seul coup de tête l'image tranquille de la mère et de l'enfant.

Entre les phrases, elles entaillaient les pattes de crabe, enfonçant le couteau sur le côté blanc de l'écaille puis, avec l'index, dégageaient la chair en la faisant glisser le long de la carapace. Une gorgée, une bouchée, elles reprenaient la conversation en s'essuyant la bouche pour que les mots sortent mieux, plus précis, plus inquiétants, car le monde tout autour avait été dessiné de manière que l'on ne puisse échapper à la géométrie des gouffres et des lacs sans fond, à la réflexion des surfaces d'eau et de douleurs. Et parce que toutes deux avaient fait vœu d'écriture depuis si longtemps, elles s'inquiétèrent des grandes ficelles de souffrance qui entourent le monde, un monde fagoté comme dans les emballages de Christo.

Après le vin, elles burent beaucoup de café en parlant de Venise et de «l'avenir à jamais remis à plus tard[2]». Vers dix-sept heures, elles reprirent la route en direction de Rimouski. Tout au loin, les mornes du Bic changeaient le fleuve en mer du Sud et Cybil sentit la mer se glisser dans ses pensées. La Sixtine vint s'asseoir au pied du lit, une serviette autour des hanches, le dos étincelant de perles d'eau patineuses. Cybil Noland prit la Sixtine dans ses bras. Dans une série de gestes lents, elle appuya la tête de la Sixtine sur sa poitrine de manière que leurs corps forment une gigantesque *pietà* au milieu de la chambre.

5

D'où vient cette idée qu'il est indispensable de se-
couer régulièrement nos pensées en espérant qu'elles
tombent en couples ou en familles de mots dans le bon
sens de la vie? Même si les mots font des palaces avec le
sombre de nos désirs, il faut éviter de se jeter sur eux en
espérant des miracles.

Elle travaille toujours avec des notes et elle ne sait
jamais ce qui vient du cœur, de l'esprit ou du récit. Il
est cinq heures du matin, la marée est haute. Sous-
marin géant, l'île Barnabé veille entre la rive nord et
Rimouski. Cybil feuillette un album de Cousteau. La
pensée va vite entre les coraux, les algues et les
astérides. Deux jours encore avant la rencontre. Le
silence épelle son nom dans la chambre. Le sens de la
vie remonte à la gorge comme une nécessité. On ne
peut pas supplier le désir de nous montrer du doigt le
centre, exiger qu'il règle le rythme, ajoute de l'eau à
la mer, de la mémoire au corps, du délire au texte. Le
pire serait d'être sans âme et de continuer à imaginer
le pire. Les idées qui nous surprennent en pleine
libido nous quittent-elles après un certain temps? Se
transforment-elles en chats paisibles qui offrent
généreusement leurs sept vies à caresser confiants que
la beauté du jour éveillera en nous encore quelques
fantaisies?

Le soleil se lève. Les mots voyagent entre le fin fond de l'idée et la surface des images. Là où on les croit faits pour durer ou pour enflammer les sens, les mots se soustraient à nos intentions, flottent au hasard, se multiplient comme le dos rond des roches fluviales ou tourbillonnent dans l'air frais du matin.

Los Angeles réapparaît, grand parking désert au milieu des palmiers. Un couple de femmes traverse la rue. Il n'y a plus de centre. Le fleuve lèche les pieds de la femme de Hyde Park.

Tout se confond. Le prix des livres augmente. L'image multiplie l'image. Le nombre des naissances n'égale pas le nombre des histoires d'amour. Il y a plusieurs centres en chaque femme. Un seul de gravité. Dans chaque phrase. On emploie de moins en moins le mot exquis et souvent sporadique. Le fleuve détruit l'idée de centre. Raconter ne suffit pas. Jouer est un indice de liberté. Regarder le fleuve suffit. Qui écrit devrait toujours faire plaisir à qui meurt d'envie d'en faire autant. D'une certaine manière. La vie offre ses mille dos larges qui constituent son écorce. *Travelling* en route vers un nouveau monde, les idées excitent le principe de vie dans les grands corps dits d'amour que nous inventons pour nous rapprocher de la lumière.

Cybil Noland accumulait les propositions en se demandant à quoi ressemblerait le monde s'il fallait le penser en de courtes phrases. Un temps d'harmonie en chacune. Ou en répétant souvent le verbe être. Si on pouvait, dans l'univers, répartir le silence en rubans d'égale portée. Si, au contraire, on devait imaginer la réalité en agençant de longues phrases toujours prêtes à changer de direction, à provoquer comme au *bungee* des sensations fortes et neuves dans la tête avide de plongeons spectaculaires. À quoi la réalité ressemblerait-elle s'il fallait prolonger ses traits comme une conversation où les marques d'affection et d'hostilité nous mettent à l'épreuve? Comment la réalité, au fond de soi si compacte, arrive-t-elle à se déployer en multipliant simultanément les sites d'horreur et les visions de futur qui nous enivrent comme l'amour et le pur néant?

La réalité est compacte.

Cybil a soulevé la main pour toucher, fascinée par la direction que prennent ses pensées. Lentement, le silence fait son apparition. Plus lentement encore, il fait son personnage. Alors, il capte toute l'attention, fait disparaître les meubles de la chambre, la coupe Stanley en page couverture de l'horaire de télévision, les cartons d'allumettes distribués dans les cendriers. Le silence marche en tenant Cybil par la main; il l'entraîne dans un espace à ciel ouvert où, appuyés les uns contre les autres, des milliers de livres reposent offerts à toutes les intempéries de la nature: incunables, elzévirs, atlas, livres de poche. Cité de livres.

Cybil a soulevé la main, mais au bout des doigts, rien. Seulement une sensation forte qui dépayse et entre en trombe dans les neurones. La sensation accélère les battements du cœur, change le rythme de la respiration. La sensation traverse la chambre. Elle fait loi dans le corps troublé de la romancière.

Toucher la réalité, le ruban déroulé des mystères de l'écriture. Effleurer ça qui altère le temps et alimente l'espoir, hausse le volume des cris et des hurlements, or des mots toujours prêt à amplifier nos sens et à satisfaire nos gueules de lionnes.

Toucher en espérant comprendre comment, dans une chambre d'hôtel, il est facile de se prendre pour un personnage. Or le personnage change. Constamment, il change d'air puisque la vie des pensées l'intime résolument de se mouvoir vers une vie meilleure, sujet de fascination. Le nom de Cybil Noland flotte dans l'air. Devant la fenêtre, Cybil distingue très bien son ombre collée au fleuve et à la lumière.

Oui, elle aurait voulu toucher la réalité compacte pour augmenter le pouvoir des yeux et les facultés nouvelles qui se développent quand l'œil brille. Car, brillant, l'œil est toujours plus parfait que la vie qui se laisse fendre en deux par la nuit depuis toujours.

Cybil regardait le fleuve. Sous la fenêtre de sa chambre la réalité était simple. Des gens stationnaient leurs autos, en sortaient avec des bruits de portières. Les hommes mettaient leurs verres fumés. Les femmes replaçaient leurs jupes. Ils arrivaient pour le buffet du midi où ils pourraient manger des moules à volonté. Le dimanche, ils amèneraient leurs enfants et les grands-parents pour le brunch. D'autres iraient à côté, au Marie-Antoinette, d'autres au Saint-Hubert B.B.Q. en attendant l'autobus pour Rivière-du-Loup ou Montréal.

L'écriture avait agrandi le fossé entre la réalité et les pensées. Puis, elle l'avait comblé patiemment, partiellement avec un chœur de *je* inquiets, propulsés, têtes chercheuses, dans l'aventure de la «chose» écrite, aujourd'hui si énorme que la pensée pour résumer passait directement par l'image de synthèse.

Plus tard dans la soirée, Cybil a traversé le grand stationnement où le vent du fleuve fait toujours frissonner. Un tour d'horizon avant de s'engouffrer au bar Dallas où des femmes tentent d'assouplir la réalité en appuyant la tête sur la poitrine d'hommes silencieux, absorbés par les mauvaises passes des Nordiques.

«C'est la vie», dit la femme en déposant son sac à main sur la table. Cybil ne proteste pas. La femme va danser, elle ferme les yeux. La femme revient. Cybil allume une cigarette. La femme parle beaucoup. Rien n'arrive parce que la femme parle ailleurs, en mêlant ses enfants, le père et un oncle au bout d'un quai à la brunante. La femme va danser avec une autre femme, «mon ex-belle-sœur». Elle revient et Cybil allume une autre cigarette. Elle vient ici trois fois par semaine, «les

soirs où c'est tranquille et que j'peux spotter fast des
gars qui ont l'air le fun corrects», dit-elle avant de commander une autre bière. La femme pleure, se mouche
avec la serviette de papier sur laquelle Cybil vient de
tracer quelques mots, puis elle en cherche une autre
pour que Cybil écrive son nom et son numéro de téléphone à Montréal: «Des fois que j'partirais sur le go
pour une vie meilleure.» Cybil n'écrit pas son nom, elle
se lève, dit qu'elle doit rentrer. Avant de partir, elle jette
un dernier coup d'œil dans la salle. La femme est assise
au bar. Un homme lui offre à boire et du feu. Quand
Cybil sort, la voix de Linda Ronstadt entame *Blue Bayou.*

Dehors, le vent pince les joues. La nuit s'active
dans la langue maternelle. Cybil réintègre la chambre
43 de l'hôtel Rafale. Le fleuve est d'encre. Cybil écrira
toute la nuit, la tête appuyée sur les pensées de Cybil
Noland. La faire parler.

6

Sixtine, le silence tourbillonne. La mer vient vaste vie dans tes grands yeux maquillés noirs et heureux, offerts comme un passage dans le temps. La douceur de ta peau prépare en moi les mots afin que je puisse, postée en maints endroits de mémoire, comprendre d'où je parle. Quelque chose de fluide et de tempête ameute en moi l'idée qu'on puisse, tout en multipliant les voix, isoler la sienne de manière à ne rien perdre du sens qui monte de la planète.

Peut-être sauras-tu, avec cette bouche écarlate appuyée contre ma tempe, capter quelques-unes de mes pensées, les saisir dans le tumulte de leur plein vol.

J'appartiens à une époque où les livres étaient des objets de désir et de connaissance. Oui, alors ils faisaient trembler d'excitation, de peur et de plaisir. Parfois, ils enfiévraient pendant plusieurs semaines. À travers eux, la vie s'enrichissait des licences de l'esprit. Ils donnaient à la vie son sens parce que c'est en eux que s'élaborait le sens, que les idées naissaient difficilement, mouraient lentement, cinquante ans, un siècle plus tard. La tradition et le changement venaient des livres. Le filon du rêve qui les traversait éclairait à ce point la réalité que celle-ci semblait promise aux scénarios les plus raffinés. Le bien et le mal s'y côtoyaient, engageaient de féroces combats d'où germait la certitude qu'il fallait contrer l'injustice et le mensonge. Il arrivait aussi que les livres incitent tant à la fête et au plaisir qu'on acceptât volontiers de se vautrer dans le vice et le sacrilège pendant plusieurs jours. Perversions, délires et inavouable s'engouffraient entre les pages. On y trouvait des paysages que seuls les yeux de lecture parvenaient à saisir. Ces yeux-là, Sixtine, ils pouvaient distinguer, dans la blancheur aveuglante des midis de juillet, le chemin parcouru par la brise de la cime invisible du désir à l'épaule nue d'une femme assoupie dans l'herbe; ces yeux-là, ils donnaient à entendre, oui, entendre, les murmures de la *paloma* libre. Ils pouvaient même détecter la petite lueur qui apparaît parfois sur l'iris des poètes juste avant que fièvre et t/erreur d'écriture ne s'emparent d'eux. Quant aux odeurs et aux saveurs, aux cris et aux hurlements, aux caresses et aux baisers, seuls les yeux du cœur pouvaient en amplifier la sensation.

À l'époque, il arrivait qu'on s'enivre de l'odeur des livres. Il suffisait d'un brin de rien de mémoire pour que le cœur s'emballe, passe à un cheveu de l'extase. Excitants, dangereux, tels furent les livres. Il fallait donc les choisir méticuleusement, les toucher amoureusement. Plusieurs étaient interdits, car ils pouvaient enflammer des populations entières, les faire courir et chanter, les précipiter vers l'avenir. Maintenant que le présent futur de la planète tourne en un va-vite incertain, les livres, à l'exception des livres sacrés qui de tout temps ont mis la vie des femmes en péril, servent tout juste à penser quelques plaies.

Très jeune, j'ai appris à rechercher la compagnie des livres. Je connaissais toutes les bibliothèques et les librairies de mon quartier. Là où il y avait un livre — dans un restaurant, posé sur une table entre deux tasses de thé, dans un jardin, ouvert sur les genoux d'une femme au regard rempli à craquer de sens, dans une poussette, coincé entre le dossier et l'enfant, en plein soleil, sur le siège arrière d'une voiture, calé sous le bras d'un passant ou dépassant d'un sac à main —, je savais le repérer.

Dans les endroits publics, j'étais fascinée par la capacité de concentration de quiconque tournait la page au milieu du bruit et du mouvement. Je voyais passer sur les visages des batailles formidables, de criantes scènes de jalousie, la détresse et le chagrin qui suivaient. Souvent, les femmes lisaient en soupirant, tenant leur livre à bout de bras, étonnées qu'autant de démence et de démesure puissent s'installer dans la langue et l'honorer. Les hommes, au contraire, attirés par le reflet d'une âme qu'ils croyaient leur, rapprochaient respectueusement le livre de leur visage fervent.

De certains personnages je parle encore parce que, de passage dans nos vies, ces êtres de chair fictive jouent, pour une phrase, une image ou une sensation de déjà vu, un rôle de premier plan. Ou peut-être est-ce nous qui, en étirant nos pensées comme de grands bras magiques, parvenons à faire preuve d'une imagination débordante?

Je me revois à l'âge de sept ans marchant aux côtés d'un grand matelot. Il était venu s'installer à la maison. Un lointain lien de parenté le liait à ma mère. Il était beau, je crois! C'est vague dans ma mémoire. Je me souviens seulement de son maxillaire inférieur et de son uniforme blanc. Il devait avoir vingt ans. Durant le mois qu'il habita dans la famille, il eut charge de m'amener au cinéma les dimanches pendant que mes parents faisaient la sieste. Il s'appelait César. Sur le chemin du cinéma, il s'adressait à moi comme à une adulte, ce qui me donnait à penser que j'étais peut-être son unique confidente. Certains jours, il disait: «J'ai une cuirasse à la place du cœur.» D'autres jours, il déclarait: «Je n'ai plus de cœur. Personne ne peut me blesser là. Je suis invulnérable.» Puis, il racontait l'arrivée des bateaux dans des ports lointains. Il décrivait le grouillement de la foule bigarrée, la couleur des tissus, l'odeur du safran et du cumin, la chaleur suffocante. Il ne parlait jamais de la mer, seulement de ce qui durant les escales faisait mousser le prix de l'amour. Il évoquait des bars louches et dangereux fréquentés par des filles de joie et des hommes musclés qui se bagarraient avec des couteaux longs et des répliques si terribles que la paix semblait à tout jamais improbable.

Sur le chemin du cinéma, nous nous arrêtions fréquemment. Lui, pour lever le coude, moi, devant une glace. Au cinéma, il ronflait pendant que mes yeux de petite fille s'émerveillaient du beau visage de Greta Garbo. De tout mon être, je cherchais à la retenir, à empêcher qu'elle ne se jette sous les roues terrifiantes de ce train d'enfer qui fonçait vers nous, assassin à toute allure d'engin.

Je me demande encore comment une enfant de sept ans pouvait absorber le délire de cet homme. Sans doute à cause des livres. Depuis un an, je lisais des romans d'aventures. À travers eux, j'étais devenue un aventurier, un explorateur. Je connaissais les ports immoraux et malsains dont César parlait, car je les avais déjà fréquentés. Seuls ses propos concernant la cuirasse m'étaient énigmatiques. Je ne parvenais pas à décider s'il portait vraiment une cuirasse sous son uniforme, s'il avait été opéré au cœur ou s'il avait tout inventé pour se rendre intéressant. Une chose est certaine: à notre troisième sortie, moi aussi je voulais une cuirasse. Ainsi, je pourrais secourir les filles de ma classe que de jeunes pirates aux yeux de requin terrorisaient à la moindre occasion.

Après le départ de César, je suppliai ma mère de m'acheter une cuirasse de centurion et un livre qui, depuis que je l'avais aperçu dans la vitrine d'une librairie, était devenu une véritable obsession. Le livre avait pour titre *Les misérables*. Sur la couverture, une enfant dont la tristesse semblait sans fond m'implorait de lui venir en aide. Il me fallait le livre pour connaître la fille, la cuirasse pour la protéger et lui rendre son sourire.

Ma mère refusa d'acheter la cuirasse, mais elle me procura le livre.

C'est ainsi que le goût du voyage et du combat, l'amour des femmes et celui des livres forment en moi un ensemble vivant. Le monde du désir

entre en nous d'une étrange manière et il se
transforme tout aussi mystérieusement avec la
soif de savoir qui œuvre à notre insu comme un
instinct.

Le bonheur décide. Notre vie est un songe qui
traduit son parcours.

7

Il est neuf heures quand Occident DesRives arrive à l'hôtel. Les traits tirés par la nuit d'écriture, Cybil l'attend dans le hall, *Le Soleil* à la main. La femme est sans âge. Une balafre rose descend de la tempe au menton. Ses yeux bleu de mer et de nuit jaugent Cybil. Elle porte une jupe-pantalon bleue, une veste de cuir, une blouse noire sur laquelle tombe une cravate étroite, forme ophidienne ambiguë sur sa poitrine. La femme balaie les alentours du regard. Cybil se dirige vers elle.

L'océanographe tend la main, souriante, directe, explique en quelques phrases l'horaire de la journée qui s'annonce ensoleillée, dit qu'il faudra quarante minutes pour arriver à l'institut Maurice-Lamontagne. Irène Mage les retrouvera vers dix heures et demie à la cafétéria. Cybil demande à s'arrêter à La Grande Place, le temps de déposer un rouleau de film.

Dans la voiture, Occident parle avec beaucoup de chiffres: hauteur des vagues, largeur du fleuve, profondeur des eaux, vélocité des vents, nombre d'employés, de bureaux, de laboratoires, de navires et d'aéronefs, années passées à Rimouski, montant annuel des subventions attribuées à l'institut.

Elle parle vite et conduit lentement. Cybil acquiesce, ébauche des questions qu'elle n'a pas le temps de formuler. La voix d'Occident rattrape au passage tout ce que Cybil hésite à demander. La rapidité avec laquelle Occident communique son savoir contemporain contraste avec le paysage naturellement perdurable. Le savoir d'Occident, son visage expressif «du menton à la naissance des cheveux[3]» et la lumière sur le fleuve au loin forment un ensemble visuel et sonore si dense que, dans l'espace clos de la Renault 5, Cybil a l'impression d'un double présent, d'un temps mixte qui submerge dangereusement les sens. Comme si la présence d'Occident, quoique physiquement réconfortante, éveillait un maléfique présage. Il y a sans doute quelque chose de trompeur dans l'intelligence qui nous renvoie sans cesse à l'art tragique de cocher aux mauvais endroits les bonnes réponses.

Occident stationne la Renault en disant qu'elles ont le temps de passer à son bureau. Porte-clés, porte-bonheur, Cybil remarque la breloque, dé d'or, au milieu du trousseau de clés.

En entrant dans le bureau, Cybil est saisie par le spectacle qui s'offre à ses yeux. Toute la pièce, plafond compris, luit d'un bleu turquoise, envahissant, beau, inquiétant. Seul le mur côté fenêtre est peint d'un blanc qui cadre la lumière du jour, précieux joyau à l'horizon. Au centre de la pièce, deux pupitres placés face à face. Sur un, ordinateur et imprimante, sur l'autre, un cahier et un stylo savamment disposés comme pour faire plaisir ou pour intriguer.

Assis devant l'ordinateur, un jeune homme. Ses cheveux, sa barbe et les poils frisés qui dépassent de l'encolure de sa chemise font de lui une masse sombre découpée dans le turquoise. L'homme se lève et tout en tirant vers lui sa veste posée sur le dos de la chaise, il salue Cybil d'un coup de tête courtois, puis s'adresse à Occident en disant qu'il a réussi à installer la nouvelle programmation concernant les mers dites mortes.

Discrètement, il se retire. À peine est-il sorti de la pièce qu'Occident affirme qu'il est un des plus brillants stagiaires qu'elle ait connus. «Il n'en a que pour deux ans. Asseyez-vous. Je reviens dans un instant.»

Cybil reste debout comme dans une galerie. Sur chaque mur, une affiche. Cybil sursaute. Là, une énorme baudroie femelle identique à celle qui l'a frôlée dans un de ses rêves aquatiques. Sur fond noir, la grosse forme ovale, gueule béante, montre deux rangées de dents effrayantes de transparence. Ses yeux minuscules, entre lesquels une nageoire dorsale sert d'antenne et d'appât, en font un monstre parfait. Sur l'autre mur, un paysage: des rochers d'un rouge sanglant dardent leurs pointes escarpées dans un ciel gris acier où la lune fait figure de rondeur sinistre. Les rochers s'enfoncent et se reflètent dans une eau que l'on ne peut qu'imaginer profonde et sans appel. Au bas de la photo, l'inscription:

Coucher de soleil sur une île fractale. Entièrement réalisé par synthèse d'images sur ordinateur. Algorithme du relief par B. Mandelbrot. Réalisation par F. K. Musgrave.

La troisième affiche est une reproduction du *Triptyque cruel.*

Dans le corridor quelqu'un tousse. Occident réapparaît dans l'embrasure de la porte. Cybil est assise devant le pupitre au cahier. Songeuse, elle joue machinalement avec le stylo. Occident se tient près du *Coucher de soleil* et le rouge luit un instant sur la balafre. Elle s'excuse de son absence, va retirer deux livres de la bibliothèque et prie Cybil de bien vouloir les lui dédicacer. «Je peux?» demande Cybil en montrant le stylo sur la table. «Il n'y a plus d'encre, prenez celui-ci», dit-elle en lui tendant un Bic. Occident reste debout derrière Cybil. Parfum d'homme, *Éternité* peut-être. Sa présence gêne Cybil. Elle se lève, fait quelques pas vers la fenêtre, regarde un instant la mer avant d'inscrire huit, neuf mots dans chacun des livres.

À la cafétéria, Occident se dirige sans hésitation vers une femme dans la cinquantaine sur le point de porter à ses lèvres un verre en polystyrène. La femme sourcille en levant un regard interrogateur vers les deux femmes surgies, semble-t-il, de nulle part. Bien que Cybil ait souvent vu la photo d'Irène Mage, elle ne reconnaît pas immédiatement la photographe. Celle-ci esquisse d'abord un sourire en direction d'Occident, puis regarde Cybil droit dans les yeux en prononçant quelques mots que l'auteure interprète comme aimables.

Irène Mage allume une cigarette. Elle semble impatiente d'entendre Occident parler du projet. Sa première question concerne les motifs qui ont amené l'océanographe à se choisir deux collaboratrices dont les œuvres n'ont rien pour attirer les poissons.

Occident répond que les artistes sont là pour surprendre et faire plaisir. Procurer des émotions que la science ne peut pas expliquer. Quoi qu'on en pense, la science est à la merci des blocs de fiction qu'elle rencontre sur son chemin, vous savez ces masses étranges qui obstruent le passage des pensées. Seuls les artistes ont le pouvoir de les rendre transparents ou d'en modifier la résistance. Oui, c'est ça, les artistes transforment les blocs de fiction en courants de pensée. Mais de cela nous reparlerons au déjeuner, voulez-vous? Laissez-moi plutôt vous expliquer en quoi consiste le projet. Nous prendrons l'avion jusqu'à Buenos Aires où nous passerons quelques jours avant de nous rendre à La Plata où se trouve un important centre d'océanographie. De là, nous nous embarquerons sur le *Symbol* pour quinze jours durant lesquels l'équipe procédera à des activités de carottage. Trois plongeurs seront de la mission. Ils répondront à toutes vos questions. En leur compagnie vous deviendrez bel œil omniprésent, la mer n'aura de secrets que ceux que vous voudrez bien lui prêter. Quant à vous, Cybil, je ne sais pas comment on invente la réalité, ni comment elle nous glisse entre les mains, mais j'aimerais que tout ce qui vous semblera beau et dangereux, répugnant, insignifiant ou accablant puisse se transformer à travers vos écrits en une chose viable, authentique et somptueuse.

En tout et partout, je vous demande trois semaines de votre vie. Parfois dans des conditions difficiles. Nous serons trois femmes dans un monde d'hommes. Promiscuité. Il faudra apprendre à vous protéger contre le soleil et le vent. Le bateau est bien équipé, il y a une bibliothèque que nous utilisons aussi comme salle de visionnement. Irène, je sais que vous parlez espagnol. Pour vous, Cybil, j'espère que la langue ne sera pas un obstacle. Je ne sais pas comment vous remercier de votre présence ici. Ce projet me tient infiniment à cœur.

Occident est manifestement émue et sa voix semble soudain lointaine, à peine audible bruissement de cerf-volant qui survole les verres, les sachets de sucre et les petits pots de crème épars sur la table. La sensation du double présent recommence, cette fois-ci accompagnée par un ciel d'orage et l'image répétée de l'eau profonde et sans appel du *Coucher de soleil*. À la table voisine, une femme raconte son rêve de la nuit dernière. Elle accouchait de triplets en faisant de la plongée sous-marine. Qui parle donc ainsi? Une femme aux cheveux roux rit en s'exclamant: «C'est fou, les rêves!» Son interlocuteur, vêtu d'une chienne blanche, hoche la tête en tétant sa pipe. Sous la table, les pieds de l'homme bougent nerveusement. La femme rit encore. Plus fort avec des A qui rebondissent dans la gorge jusqu'à ce qu'un ouf prononcé œuf vienne se lover comme un soupir entre ses lèvres. La femme s'essuie les yeux en passant deux doigts sous la monture de ses lunettes qui remontent un instant sur son front en lui donnant un air d'aviateur ancien. L'homme répète: «Oui, c'est fou!» et la femme éclate à nouveau d'un rire incontrôlable qui la fait trembler de partout. Derrière elle, Cybil aperçoit le stagiaire absorbé dans la lecture du *Soleil*. Dans la masse sombre de ses cheveux, le lobe de l'oreille brille. Petit anneau. Puce à l'oreille comme au temps de Rabelais où les hommes avaient pris l'habitude comme les femmes de porter une seule boucle d'oreille.

La voix d'Occident reprend le dessus sur la bruyante atmosphère de la cafétéria. Irène Mage allume une cigarette. Sa bouche disparaît derrière un écran de fumée. Ses yeux brillent. Occident rit à pleines dents en passant ses longues mains dans ses cheveux. Cybil a le sentiment d'avoir manqué un moment important. Occident propose de visiter l'institut avant le déjeuner.

—

À la sortie du restaurant, les trois femmes s'attardent dans le stationnement. Occident prend congé de ses invitées en leur rappelant que la visite du *Symbol* est prévue pour dix heures le lendemain matin. Irène ramène Cybil à l'hôtel.

Sur le chemin du retour, les deux femmes sont silencieuses. Une bonne fatigue glisse dans les membres et les pensées comme un alcool doux après une journée de ski. Le fleuve reprend ses droits, capte toute l'attention, s'acharne à jeter des feux de Bengale dans les yeux.

Au début du repas, Occident avait fait les frais de la conversation en parlant longuement de la reproduction et des mœurs capricieuses de la faune aquatique. De parades et de fécondation au milieu des épines et des tentacules. Il y a des haines ancestrales qui s'expriment sous le couvert de la séduction. Chaque espèce possède ses méthodes d'approche et de dissuasion: joues épineuses, venins paralysants, muqueuses toxiques n'empêchent nullement les idylles roses et fertiles.

De parades et de rituels, de chants doux, de crimes passionnels et de parasites amoureux il fut question ainsi que de chair fraîche. Par on ne sait quel glissement de sens, les trois femmes se retrouvèrent bientôt à parler de l'esclavage sexuel, du trafic d'organes et de grands-mères porteuses de leurs petits-enfants. Bientôt chacune donna l'impression de ne pas être dans son assiette. Occident prétendait que la science devait suivre son cours. Devant les propos moralisateurs de Cybil, Irène avait lâché un immense: «Voyons donc!» Occident en avait alors profité pour faire signe au garçon d'apporter un peu de vin. Le vin aidant, un fervent trialogue s'engagea parsemé de fragments idéologiques et de répliques cinglantes qui bientôt se transformèrent en propos si scabreux qu'on aurait cru qu'un vent de folie s'était emparé des trois femmes qui maintenant riaient aux larmes.

Dans l'auto, Cybil déclare abruptement:

— J'ai l'impression que nous voyons la sexualité comme le bernard-l'ermite et le poisson-ange empereur, c'est-à-dire que chacun de nos yeux capte des objets différents. D'un œil, nous distinguons l'objet de notre désir, de l'autre nous ne savons pas discerner entre la forme imaginée de notre désir et l'intention hormonale.

— Je vois que vous vous êtes documentée avant de rencontrer Occident.

— J'ai lu quelques articles. Occident est une femme déconcertante. Il m'arrive en sa compagnie d'éprouver d'étranges sensations, comme si la réalité se dédoublait.

— Manque de focus, dit Irène en effleurant la main que Cybil tenait tout près du bras de vitesse.

— Depuis que j'ai commencé ce nouveau roman, je rêve beaucoup. Je perds facilement patience et le fil.

Irène rit.

— C'est la vie, il ne faut pas en faire un drame. Il m'arrive aussi des choses curieuses quand je *produis*.

— C'est ainsi que vous nommez la création?

— Évidemment. Pourquoi en serait-il autrement? Je produis des flashs, des instants courts durant lesquels surgissent des pans précieux de réalité. Je calcule. Je flashe. Je rushe. Je nourris la curiosité de l'œil. Je trouve un titre. L'émotion suit ou ne suit pas. Cybil, je ne veux pas vous offenser, mais vous me semblez bien naïve quant à cette chose que vous appelez création. Et surtout ne me répondez pas que je suis cynique.

La voiture s'arrête à un feu de circulation. Irène se tourne vers Cybil, la regarde pensivement.

— Vous travaillez en profondeur. Vous creusez votre sujet. N'est-ce pas ce que tout écrivain espère: aller au plus profond de la nature humaine en fouillant dans le dictionnaire, dans l'histoire et sa petite mémoire de bas-fond qui rappelle l'enfance des sensations primaires. Toucher le fond est ce que vous pouvez espérer de mieux. Plus vous excellez dans votre art, plus vous vous enfoncez dans le monde obscur des passions et des motivations. Votre art exècre le superficiel, la vitesse. Il reste profondément moral. Là où vous vous enfoncez, je multiplie les jeux de surfaces, les apparences, les illusions. Plus je perfectionne mon art, plus je maîtrise la lumière. Cybil, avant tout, nous sommes des yeux et ces yeux sont faits pour déréaliser le monde.

La voiture s'est arrêtée dans le stationnement de l'hôtel des Gouverneurs où, ce matin, Irène Mage a retenu une chambre avant de continuer sa route jusqu'à l'institut. Elle propose de retrouver Cybil «au bar dans une heure». Son ton est léger comme si elle venait de parler de la pluie et du beau temps.

Cybil se dirige vers La Grande Place où elle va récupérer les photos du film déposé le matin. Toujours le vent toujours en traversant le stationnement. Bruits de portières qui se ferment et de moteurs qui démarrent. Talons hauts qui cognent sec sur l'asphalte. Escalier roulant. Lingerie. Confiserie, papeterie, pharmacie, disquaire, tabagie. Coupon, monnaie, merci. Sourires. Photos. Douze photos que Cybil s'empresse de regarder. Quatre prises de la chambre d'hôtel. Le stationnement incontournable, deux lampadaires, des arbres gris et secs, un sens interdit avec son rectangle rouge; puis trois fois le fleuve plat et gris sans commune mesure avec la réalité. Rue de la Cathédrale: un parcomètre, un drapeau canadien, un fleurdelisé, des autos stationnées. Le fleuve au loin. Les trois photos du cimetière faites à contre-jour n'offrent que des formes éclatées. La photo de Jasmine ainsi que celle de la mer à Sainte-Luce sont parfaites. Les deux autres photos datent de Noël dernier. Elles sont presque identiques mais sur l'une d'entre elles, Cassandre Noland ferme les yeux sans doute éblouie par la lumière du flash. Sa bouche est rieuse au milieu des joues creuses et des rides. Derrière elle, un sapin décoré. De petites ampoules rouges et vertes luisent à la hauteur des cheveux blancs. Sa main gauche est posée sur le bras de la chaise, l'autre repose inerte sur un genou. Les yeux de Cybil s'embrouillent. Elle replace les photos dans l'enveloppe. Dans le stationnement, une auto la frôle. Elle fait un bras d'honneur au conducteur. Menaçant, il freine, fait marche arrière. Cybil enjambe un parapet. L'auto repart. «Ma tabar*snake*» se perd dans le vent.

Dans sa chambre, Cybil note les propos scandaleux d'Irène, souligne *toucher le fond*, téléphone à Montréal. Il n'y a pas de réponse chez sa sœur où habite Cassandre Noland. Sur le couvre-lit, les photos étalées. «Ma mère comme je vous aime. Vous que personne n'a jamais prise au sérieux. Vous qui avez prédit sans jamais vous tromper ce que deviendrait chacun de vos enfants, mais qui n'avez jamais eu de mots pour imaginer ce que je suis.

«Ma mère, dire ma mère, dire je pense à vous orchestrant nerveusement le quotidien dans ses moindres détails. Vos interdictions, je les entends toutes, proférées dignement. Oui, mère, vous étiez une femme sombre. Mère apparition qui saviez la fragilité des choses puisque dehors le monde étalait sa désespérance. Petite mère tout à fait grande dans le salon où vous lisiez constamment, vos yeux tournés vers les mille dangers qui guettaient dans la pénombre de l'imagination.»

Cybil vagabonde un instant au milieu d'une syntaxe étrange où les images crachent de vilains sons. La sonnerie du téléphone. Au bout du fil, Irène Mage se manifeste, voix de tête en fête. Elle insiste pour que Cybil la retrouve au bar. La photographe est en forme ou beau chaos de forme, prête, semble-t-il, pour une longue soirée.

Lorsque Cybil entre dans le bar, il y a dans ses yeux un tel mélange d'impatience, de fatigue et d'intelligence qu'Irène Mage croit bon de prendre ses distances. Aussi Cybil est-elle incapable de discerner si cette retenue est rêverie, modalité de séduction ou bonnes manières retrouvées. Cybil s'assied, jette un coup d'œil à l'écran de télé où des hockeyeurs s'emboutissent violemment le long d'une rampe très sonore.

Prête à engager la conversation comme d'autres engagent le combat, Noland se tourne vers Mage. Pour la première fois, elle a l'impression de voir la femme. Ses cheveux courts, d'un gris bleuté. Les yeux aussi mais d'un autre gris, celui-là d'une transparence rare. Le même gris qui avait intrigué la critique montréalaise et fait verser beaucoup d'encre lors de sa première exposition. Toutes les rides sont concentrées autour des yeux et de la bouche. Le front et les joues ont la pâleur lisse des marbres d'Italie.

Irène allume une cigarette. On entend le crissement des lames de patins sur la glace, le choc de la rondelle sur la bande, les exclamations de la foule qui ponctuent la mélopée des voix feutrées du bar.

Noland voudrait revenir sur les propos qu'avait tenus Mage dans la voiture. Mage regarde tout autour d'elle avec des yeux de fauve. Elle finit par dire:

— Je n'ai lu qu'un seul roman de vous. L'histoire se déroule à Londres. Le passage qui m'a le plus émue est celui de la visite du British Museum où votre héroïne rencontre une romancière. Les deux femmes regardent une photo. La romancière engage la conversation. Les deux femmes ne se regardent jamais. Elles se tiennent debout, côte à côte. L'héroïne porte un manteau rouge. Vous ne dites rien sur leurs visages. Sur leurs expressions. Vous observez leurs gestes. Une jambe qui se déplace, une main appuyée sur une hanche, un pas en avant. La romancière passe une main dans ses cheveux. Votre présence, celle de la narratrice, derrière elle, est obsédante. On entrevoit parfois la photo quand une des femmes se déplace légèrement. On ne distingue pas le sujet de l'œuvre.

Il y avait des années que Noland avait publié ce livre. Elle se souvenait vaguement du passage qui ne devait pas faire plus de sept lignes dans le roman.

— Voyez-vous, dit Noland, c'est exactement pour cela que la littérature a un sens. À cause de ces détails qui pénètrent dans la conscience, s'incrustent dans la mémoire comme de petits cristaux de vie. On ne sait jamais à quel moment ils referont surface ou la synthèse en nous de ce que nous portons comme un tourment, une fébrilité latente.

— Pardonnez-moi pour cet après-midi. Je ne sais pas ce qui m'a prise, dit Mage en appuyant la paume de ses mains sur chacune de ses paupières, je ne sais vraiment plus quoi penser. C'est pour cette raison que j'ai accepté l'offre de DesRives. Il y a maintenant deux ans que je travaille à des images de synthèse. Deux ans que je n'ai pas mis les pieds dans ma chambre noire.

Tout a commencé avec la mort de ma mère. J'avais pour elle une tendresse infinie. À sa mort, une image s'est brisée en moi. À la même époque, j'ai commencé à fréquenter un ami infographe que la mort de son amant avait aussi plongé dans une tristesse infinie. Au début, nos rencontres étaient remplies de confidences, d'échanges compassionnels. Nous pleurions l'un devant l'autre sans aucune pudeur. Cent fois plutôt qu'une, nous nous sommes raconté notre enfance, nos amours, nos aventures. Il préparait le café. Nous fumions. Il sortait des albums de photos dont il tournait lentement les pages en pointant du doigt le jeune homme qui apparaissait sur chaque photo. Au bout d'un certain temps, il laissait dormir son doigt sur un eucalyptus, un rocher, un opossum. Alors, il vantait l'effet apaisant du désert australien où il avait rencontré l'Adonis adoré. Pour ma part, il me suffisait de prononcer quelques mots sur le quartier de mon enfance pour que surgisse l'image de ma mère accourant, bras ouverts, vers sa petite écolière aux joues froides de l'hiver. Elle m'embrassait sur le nez, puis s'en retournait dans la cuisine faire tout un plat ou brasser, je ne sais, quelques pensées zen.

Deux mois s'écoulèrent ainsi à dialoguer quotidiennement. L'ami commença alors à deviser à propos de son travail et de ses recherches. Avec le temps, ses paroles se transformèrent en de longs monologues qu'il m'était de plus en plus difficile d'interrompre par une question, une remarque, une opinion. Chaque fois que j'ouvrais la bouche, ses mots avaient tôt fait d'engloutir les miens comme les sables mouvants avalent cailloux et projectiles ou quiconque s'y aventure. Je sortais de ces rencontres survoltée: absolument incapable de comprendre la portée de son discours, mais tenue en haleine par la turbulence des idées et des formules.

Il pouvait parler des heures sans se fatiguer, sans se référer à la réalité. Rares étaient les comparaisons dans sa bouche pourtant passionnée. Dans l'espace du salon, ses mots dessinaient de grandes zébrures qui, tout en donnant l'impression de toucher quelque obstacle invisible, rectifiaient leur trajet, boucles étranges, laminaires gracieuses que le temps suspendait dans leur mouvement avant que n'éclosent d'autres phrases scandées par loi, hasard et chaos qui me troublaient.

Il circulait entre le piano et sa table de travail, passait devant l'ordinateur, s'asseyait au piano un instant, puis se dirigeait vers une grande fenêtre par où octobre flamboyant entrait dans la pièce. Une grande psyché me renvoyait octobre et au-delà, la cime des grands arbres de la rue des Érables pendant que le corps de l'homme intarissable recommençait le même trajet en forme de pentagone. Il arrivait que, devant la fenêtre, il se taise une fraction de poussière de silence à partir de laquelle j'espérais chaque fois prendre élan de parole. Trop tard, le polygraphe s'emparait de la poussière de seconde et la transformait aussitôt en fractale.

Cybil sursaute.

Irène jette un coup d'œil au téléviseur. On joue la reprise d'un but compté par les Nordiques. À partir de cet instant, le bar s'anime tant et si bien que les deux femmes se retirent dans la chambre d'Irène d'où elles commanderont peut-être à boire et à manger.

——

La chambre ressemble à celle de Cybil mais en plus grand avec un salon. Les rideaux ne sont pas tirés. Sur le lit, deux livres, un album sur l'océan avec une couverture d'un bleu à faire trembler les yeux de bonheur, l'autre livre: *Molloy* de Beckett. «Après avoir lu votre roman, j'ai voulu connaître ce livre. Vous vous souvenez: "Je suis dans la chambre de ma mère."» Les deux femmes sont assises sur le lit, feuillettent l'album. Leurs voix se confondent.

«Depuis qu'Occident m'a écrit à propos de son projet, je fais des rêves étranges. Les images du fin fond de l'abîme sont effroyables. Il m'arrive souvent de refermer brusquement les albums de mer où ventouses, larves, formes gélatineuses et bouches visqueuses sautent aux yeux sans crier gare. Je ne m'habitue pas à cette vie animale. C'est la mer à l'horizontale, la mer de grande surface bleue, turquoise ou même grise qui excite en moi les pensées. Vous croyez à l'aventure qu'Occident nous propose? J'aime la mer, celle qui donne à rêver, qui engendre le goût du voyage, nourrit le grand large en nous.

«Je n'existe qu'avec mes yeux, avec les mots que mes yeux désirent au bout de tout. Au bout des yeux, je m'éloigne de la réalité. Trop de vie fait peur. Au bord de la mer, je suis d'une superbe incommensurable. Certains prétendent que c'est à cause de la joie de vivre qui n'en finit plus de faire ses preuves en gardant nos paupières ouvertes oh! juste ce qu'il faut pour que nous puissions nous croire éternels.

«La terre est trop petite maintenant que nous savons où va le temps, comment la douleur s'évapore entre les planètes. C'est une raison de plus pour désirer la mer. La mer est notre dernier silence. Regarder les nuages est un signe d'humanité. La majeure partie de l'humanité regarde toujours au même endroit du même endroit. La vie donne envie de regarder comme les poissons dans deux directions à la fois. Croyez-vous que les idées puissent faire vieux os en nous? Les idées sont des intuitions nécessaires qui, une fois leur travail accompli, s'en retournent pêle-mêle errer dans ladite nature humaine.

«Je me demande ce qui a bien pu se penser dans la tête de la première femme pour qui la terre était enfin ronde. Si la terreur s'est emparée d'elle, si l'envie de partir au loin, de s'engouffrer dans la rondeur nouvelle a inondé son sexe de plaisir. Où va-t-il donc le savoir des femmes? Le cultivent-elles passionnément, orgueilleusement, ou, matière tendre qui se partage, le déposent-elles discrètement sous l'oreiller de leurs enfants afin que tout naturellement il se confonde à leurs rêves?»

—

La nuit est maintenant couchée partout à plat sur le fleuve. La chambre est enfumée, les phrases de plus en plus espacées. Irène se tourne vers Cybil. Les yeux filent leurs métaphores. Derrière l'épaule d'Irène, la lumière d'une ampoule transforme l'encre violente de la nuit en lueur incertaine. La nuit rapproche son visage de la bay-window comme pour lécher l'intérieur de la chambre. Les deux femmes se tiennent côte à côte devant la fenêtre. Effleurer, pense Cybil, faire jaillir elfe, fleuve, fleurs qui se cachent dans le mot. Irène appuie la paume de sa main à l'endroit où, reflété sur la vitre, le visage de Cybil donne à penser solitude. Mais il y a un œil amoureux dans la main d'Irène. Un œil habitué à tout voir. Sur la surface froide du verre, la main caresse le profil, le reflet de Cybil. Elle trace les premiers dessins d'enfance, caresse le beau chat noir qui allait dans le jardin s'allonger sous le pommier, elle dessine des cercles délicats dans la fourrure du manteau de maman, applique un peu de baume sur les épaules et le dos. Rideau.

Buenos Aires

Prose is a dream falling back into reality.

NICOLE BROSSARD

1

Partir. Histoire de conquête. Écrire. Tâche des yeux. Jour après jour, surprendre la vie. Buenos Aires. Dans la chambre 309 de l'hôtel Alvear, tu observes les passants qui convergent vers la Recoleta. La fatigue joue à déplacer les sensations et les visages, questions lentes et paysages anticipés.

Dans l'avion, vous avez conversé une partie de la nuit. L'atmosphère est touffue d'exclamations, de commentaires et de fragments narratifs qui arborent des couleurs conviviales. Occident s'est installée entre Irène et toi. Chaque fois que tu te tournes vers elle, la balafre imprime son rose de lèvres cousues dans ton regard. Irène a pris la manie de commencer ses phrases par «En Occident». À tout coup, l'océanographe sursaute. Après le deuxième film, Irène s'est endormie. Tu t'es plongée dans la lecture d'un livre de Silvina Ocampo. Jusqu'au petit matin Occident a veillé, les deux bras croisés sur sa poitrine, guettant, on aurait dit, «l'Aurore aux doigts de roses[4]».

À cause du brouillard, l'avion a fait halte à Montevideo. Une heure et demie à tourner en rond dans la salle d'attente. Sur une affiche, un grand hôtel sis au bord de la mer: hôtel Carrasco. Une quinte de toux secoue Occident. Elle tire un inhalateur de sa poche. Sa carte d'embarquement tombe par terre.

Irène cadre: Occident pliée en deux, un bras tendu vers le carrelage. «Toucher le fond.» Monde abyssal. Nuit totale.

La chambre est spacieuse et ancienne comme toute splendeur. Le téléphone sonne. Occident propose de déjeuner à la Recoleta. *Hasta pronto.*

2

Une année s'était écoulée entre la visite du *Symbol* et le départ pour Buenos Aires. Irène avait offert de ramener Cybil à Montréal, mais l'autre avait préféré faire le trajet dans l'espace neutre de l'autocar où, sans être distraite par la présence d'Irène, elle avait pu s'en mettre plein les yeux de la beauté du fleuve, s'imbiber à volonté des rives lumineuses, laisser monter en elle l'histoire, revoir la grande maison qu'on lui avait dit être celle de l'écrivain Victor-Lévy Beaulieu, là au-dessus de l'abîme avec son fleurdelisé claquant au vent comme la voix de Miron ou celle de Tolstoï.

De retour à Montréal, Cybil avait repris son rythme quotidien. L'idée du roman se transformait en roman. L'été ayant été particulièrement ensoleillé, les journées s'étaient écoulées à lire et à écrire au jardin. La joie se répétait fréquente au milieu des sens comblés. La Sixtine prenait de plus en plus de place dans le roman. Sa présence refoulait le personnage de Cybil Noland au second plan sans toutefois résoudre l'énigme du nom propre. Au fil de ses lectures et recherches sur le personnage, Cybil avait découvert que John Irving, Ernesto Sábato, Wittig, Audrey Thomas, Philip Roth, Timothy Findley étaient des noms de personnages. De savoir que le tabou avait été transgressé par plus d'un ne la rassurait pas pour autant, car il ne pouvait s'agir d'un simple caprice d'auteur. D'où venait donc ce besoin contemporain d'aller là, en pleine fiction, se faire voir et participer à l'action? Fallait-il s'offrir en garantie au cas où ça tournerait mal dans le récit? Présence insolite de l'auteur au milieu de son texte comme cet homme qu'un matin Cybil avait aperçu dans un boisé, téléphone à la main, tout naturellement en train de converser. Était-ce là nouvelle méthode de refouler la fiction aux limites du probablement vrai? Pourquoi mettre son nom là où de toute manière le personnage vieillira? Avec les mois, le «tabou» s'était transformé en un archipel de sensations où «ceci est mon nom» s'était révélé être une pièce pyrotechnique aveuglante pouvant servir de signature dans l'azur contemporain.

Les jours où la présence de Cybil Noland devenait trop envahissante, Cybil allait marcher dans le Vieux Port. Parfois, elle montait sur un des traversiers qui faisaient la navette entre Montréal et Longueuil. Assise au milieu des cyclistes et des touristes, elle s'étonnait que mollets musclés, cuisses fortes, genoux noueux, cheveux au vent ou coulées de sueur le long du cou contribuent à faire lever en elle un vent de tension sémantique.

À quel moment, aux yeux de qui observe, un homme devient-il un cycliste, une femme, une touriste? À quel endroit de la chaîne des pensées un homme peut-il être dit porc, une femme vache? De quels indices se nourrit donc l'imagination capable en une fraction de seconde de changer un homme en bête, une femme en marguerite, un cycliste en Italien? N'y avait-il pas de répit à l'injection dans le monde de nouvelles configurations qui le recomposaient sans cesse inachevé, néanmoins prêt à bondir vers le futur? D'où venait que le caprice fertile des pensées engendre les plus grandes méprises, les plus folles erreurs sur la personne? Méprises qui selon qu'elles allaient droit au cœur investissaient l'autre d'un pouvoir imaginaire, qui selon qu'elles touchaient aux angoisses les plus intimes et aux peurs les plus viscérales pouvaient en douce déclencher la guerre.

Ainsi, au moment où Cybil cherchait à faire le vide dans ses pensées en se rapprochant du fleuve et des rives ensoleillées, il lui arrivait souvent de se perdre en conjectures sur ce qui incite si fréquemment à précipiter autrui dans une appartenance forgée de toutes pièces.

Phénomène étrange, le retour vers Montréal dissipait toute angoisse. Les arbres et leur rondeur touffue, les usines de l'est, les grands hangars du port, la silhouette du pont Jacques-Cartier et la grande roue de La Ronde s'installaient dans le regard avec une telle clarté que seul l'instant comptait.

3

À l'automne, durant le Mois de la photo, Cybil alla au vernissage d'une exposition collective à laquelle Irène participait. Dans la grande salle de la galerie Dazibao, Irène circulait gracieusement au milieu de ses amis. La femme était bien différente de celle qu'elle avait connue à Rimouski. Elle parlait avec un accent légèrement parisien, donnait avec une confiance qu'on aurait crue innée des explications intelligentes et sensibles à des admirateurs capables eux aussi de tenir de sérieux propos sur la photo et sur la représentation. La photo d'Irène avait sans doute été prise de l'hôtel des Gouverneurs, puis retravaillée à l'ordinateur. Il n'y avait pas à se méprendre sur les rondeurs paisibles qui formaient la ligne d'horizon.

Après s'être excusée auprès de ses interlocuteurs, Irène s'était dirigée vers Cybil. Gris des yeux et des cheveux. Boucles d'oreilles rouges, foulard pourpre, ceinture vermeille comme une explosion du cœur en trois mouvements. Les deux femmes avaient échangé quelques paroles. Cybil apprit qu'Occident avait passé tout le mois d'août à Montréal. Stoïque, elle n'avait rien laissé paraître de son étonnement, avait plutôt demandé si la photo *datait* de Rimouski. L'autre avait enchaîné rapidement en parlant de pixels et d'images argentiques.

Au milieu de l'hiver, Cybil s'était rendue en Angleterre et en Écosse afin de donner trois conférences. À Cambridge, elle avait revu Lay, une *fellow* philosophe de Trinity College rencontrée quelques années auparavant. Fille d'un riche armateur, Lay était la femme la plus excentrique qu'elle ait connue. Les vêtements qu'elle portait, les gestes qu'elle osait, les propos qu'elle tenait, sa haute taille, tout contribuait à l'éloigner du commun des mortelles. Dans la même phrase, elle pouvait tout aussi bien réciter un passage de l'*Odyssée,* citer à propos *Le monde comme volonté et comme représentation,* décrire Charing Cross à l'heure de la plus folle affluence et assaisonner ses émotions de quelques expressions dont il était difficile de dire si elles étaient juteuses, douteuses ou tout simplement vulgaires. Mais surtout, on ne savait jamais à quel moment elle allait fondre en larmes. La crise était toujours brève, petite minute d'éternité coincée entre la vie et la philosophie, et Lay reprenait son aplomb balayant l'air de ses grands bras qu'elle comparait volontiers à des bras d'ouvrières russes. Sous l'œil gauche, une petite cicatrice luisait, larme éternelle. La grande taille de Lay avait souvent été une source de quiproquos entre les deux amies. Assise devant elle, Cybil prenait plaisir à tous ses propos, mais lorsque les deux femmes étaient debout, Cybil devait constamment lever la tête. Les muscles du cou se tendaient désagréablement comme lorsqu'on cherche un livre sur le dernier rayon d'une bibliothèque. Aussi, lorsque les deux femmes se retrouvaient dans la station verticale, Cybil, craignant d'avoir à constamment lever la tête pour une question ou un commentaire, acquiesçait paresseusement aux propos de Lay en fixant derrière les épaules larges de la femme de petits fragments de réalité dont le contour excitait en elle un goût de bohème.

Après la conférence de Cybil, Lay l'avait emmenée dans un café de Kettle Yard, puis elle avait proposé de lui montrer la tombe de Wittgenstein. Elles avaient parcouru les rues étroites de la ville, longé Midsummer Common, traversé la rivière, gravi la pente d'une rue sombre au bout de laquelle une vingtaine de pierres tombales faisaient le guet dans un petit boisé que la lumière du jour rendait impropre à la joie.

Après avoir cherché un instant, Lay s'était rapprochée d'une dalle recouverte de mousse et d'aiguilles de pins. Lud Wit stein 1889-19 . Lay s'était penchée. De ses longues mains, elle avait gratté la pierre sombre: le nom autrichien et l'année de la mort du philosophe étaient apparus. Les femmes se tenaient debout silencieuses comme des harpes oubliées au fond d'une boutique d'antiquaire. Le cimetière était rempli de longues racines si puissantes que certaines d'entre elles avaient soulevé la pierre aux angles gris de malheur. Ici et là, des éternelles ajoutaient de la couleur à l'ocre automnal et au vert caduc qui rappelaient le cycle de vie. Cybil avait cueilli une pensée sauvage, l'avait déposée gauchement sur la tombe. «Soit dit en passant: les objets sont incolores[5].»

Dans la soirée, Lay avait accompagné Cybil à la gare. Les deux femmes faisaient la queue au guichet lorsque Lay s'était soudain écriée: «Je vais à Londres avec toi. On s'installe au Dorchester. On boit du champagne.» Cybil avait protesté, dit qu'elle avait déjà retenu une chambre pour la nuit, qu'il fallait absolument qu'elle travaille à sa conférence d'Édimbourg. Lay avait aussitôt traduit: «*You need material for your novel. Don't you? We'll talk, eat, and drink, walk silently along the Serpentine and I shall reach out in you for the material waiting to burst out.*» Cybil avait souri. Déjà Lay s'engouffrait dans une cabine téléphonique pour réserver une suite avec vue sur Hyde Park.

Le jour de son retour à Montréal, Cybil apprit qu'une bombe avait explosé à quelques mètres de l'hôtel victorien. Elle avait aussitôt téléphoné à Cambridge. Lay avait dit: «*Don't worry. We all die the dark side in us shattered by love. Or a sentence, darling. Take care.*»

4

À son retour d'Europe, Cybil s'était inscrite à un cours d'espagnol au YMCA de la rue Metcalfe. Tous les mercredis après-midi, après avoir humé l'odeur d'un Montréal encore frisquet, elle s'engouffrait dans une salle blême et crème où, en compagnie de dix élèves, elle répétait consciencieusement *la ventana, la silla, la lux, el lápiz, el corazón*. L'enseignante, d'origine salvadorienne, parlait parfois du pays qu'elle avait quitté en catastrophe. Au mot singe, elle avait raconté une anecdote qui tranchait sur le quotidien dodu des Montréalais. Durant les pauses-café, les élèves se racontaient par bribes, assez pour qu'au deuxième cours Cybil puisse découvrir la raison de leur présence au cours. Une secrétaire d'Hydro-Québec amoureuse d'un Chilien, une femme de Roxboro dont le mari venait d'être muté en Floride. Un homme d'affaires de Repentigny qui répétait comme un piqué «*Soy un hombre de negocio*» chaque fois que Cybil disait: «*Soy una mujer de palabras.*» Un jour, alors qu'ils étaient réunis à la cafétéria, la conversation avait porté sur un viol sordide survenu la veille. L'homme de Repentigny avait confié avoir été autrefois membre des Hell's Angels. À plusieurs reprises, sans jamais participer, il avait été témoin de viols collectifs. «Les filles en bavaient un coup. Les gars savaient pas vraiment c'qui faisaient.

Après une journée de bike et de bière, ça leur prenait ça pour les r'mett'e su' l'piton. Mais j'comprends q'pour les filles c'tait pas drôle.» La secrétaire semblait émue des confidences de l'homme. La femme de Roxboro qui n'avait pas tout compris hochait la tête d'incrédulité. Cybil était allée se chercher un *sundae*, la tête en fièvre de questions à propos des récits qui, si courts fussent-ils, réussissaient toujours à faire tomber la tension. Tout mécréant sachant raconter la main sur le cœur, confidentielle, détournait chaque fois le sujet au profit d'une promiscuité affective qui faisait «comprendre» les pires crimes et goûter le morfil des sens aiguisés par la violence. Racontées de vive voix, les histoires rapprochent, excitent l'imagination toujours prenante au bout de laquelle «je comprends» ou «c'est incroyable» sortent victorieusement, tout trempés de salive comme une participation active à l'humanité.

L'apprentissage d'une nouvelle langue excitait Cybil. Mémoriser un vocabulaire était chose facile. Tous les mots avaient un sens, il suffisait de les avaler, de les respirer, de les sucer, mâcher et aspirer avec conviction. Mais lorsque venait le temps de construire une phrase ou de s'installer dans le temps des verbes pour y vivre et s'émouvoir, alors les mots filaient comme une maille dans un bas de femme ou, chaos sombre, venaient s'interposer entre la réalité et soi.

Pour se faire une oreille, Cybil avait commencé à fréquenter cafés et restaurants latinos de Montréal. L'oreille bourdonnait de toutes les phrases banales et nécessaires qui du matin au soir sillonnent le quotidien. Pour comprendre, il fallait défaire la chaîne sémantique, isoler les mots mais alors, trop tard, la phrase avait filé dans un brouhaha de consonnes. Il ne restait que des îlots de sens flottant au large du réel. Pourtant Cybil était fascinée par la dimension presque littéraire que pouvaient prendre les mots *tengo, estoy, claro, que bonito, quesiera, corazón.* Chaque mot capté entre le bruit des ustensiles et la musique d'ambiance chantait fort en elle, résonnait désir fou battant à la porte du soi. L'esprit s'enivrait facilement. Des villes lointaines apparaissaient parcourues de bipèdes ailés qui donnaient un sens nouveau au quotidien. Des paysages défilaient. La langue étrangère séduisait car elle facilitait la croyance, une sorte d'espérance surgie des sons qui excitaient l'imagination. Les mots étrangers ralentissaient le vertige-v*ivre*, déroulaient ce grand tapis d'horizon aux couleurs d'aube qui faisaient soupirer.

«*Perdoname. ¿Puedo hacer su cuarto?*» Perdue dans tes pensées, tu n'as pas entendu le bruit de la clé dans la serrure. Une femme de chambre attend timidement ta réponse. *Si, gracias, de nada* s'enroulent, torsade mélodieuse dans la lumière du matin.

5

Vous êtes assises à l'une des terrasses de la Recoleta. Irène veut tout visiter en trois jours. Occident répète prudemment: «La vie en mer sera exigeante.» Autour de vous, la langue étrangère appuie ses coudes sur la table en prenant des bouchées doubles dans l'histoire avant de s'envoler montgolfière haute en couleur au milieu des cabarets de laiton des garçons. La conversation va bon train et soudain ça claque en toi: *Tu n'écriras pas ce roman. Tu n'en as ni le talent ni l'audace. Ton instinct est disparu avec le dernier livre. Depuis le monde a changé. Le monde change. À chaque instant, il faut imaginer ailleurs puisqu'on y est déjà. Presque. Tu as perdu le sens du présent. Le futur t'enivre. Tu t'extasies sur le passé. Tu ne lis pas assez ou trop. Tu crois que garder la distance te protégera contre la répétition, t'aidera à mieux comprendre la face cachée de tes personnages. Avoue que tu aimerais bien toucher le fond sans trop te salir.*

Tu allumes une cigarette. Irène Mage replace une boucle d'oreille en disant: «En Occident, la photographie...» Sous la lumière crue de midi, la balafre d'Occident prend des proportions insoutenables. La femme de Hyde Park revient hanter tes pensées. Une main sur le dictionnaire, elle fixe le futur. Il n'y a pas de personnage. Il y a trop de personnages.

Tu te lèves brusquement: «Je reviens dans un moment.»

Le personnage peut sombrer dans le vaste des possibilités, multiplier les miroirs. Elle aime bien partager son délire. Naviguer entre deux mots. Elle sait qu'il ne faut pas rater sa chance de bonheur. Parler de littérature excite le personnage. Elle n'a pas peur de se contredire. Elle rapproche parfois sa tête du silence. Le personnage a raison de vouloir montrer ses yeux roses et philanthropiques. La démence du personnage est toujours irréprochable. Elle éveille la curiosité. Le personnage se tient près de la vérité comme d'autres rasent les murs, frôlent la folie. Elle sait qu'il y a du danger à regarder les choses qui affligent. Le personnage est un signe sauvé des eaux de la mémoire. Elle exige beaucoup tout en imposant le silence; chut, il faut choisir entre le désir et la vraisemblance. Il faut que l'ombre vraie du désir recouvre l'ombre vraie du personnage. Elle dessine toujours le même verbe être replié sur soi en forme de collier autour du nombril. On peut se rapprocher du personnage. Il convient cependant de regarder tout droit d'où vient la mort. Le personnage ébranle les convictions, déplace la solitude, permet de renouer avec les ancêtres et les survivantes du règne d'homme. Elle ne referme jamais ses bras sur le vide, préfère rester là, songeuse, devant le vaste monde puisque la mer est ainsi faite qui nous survit.

Tu reprends ta place. En ton absence, le soleil a réchauffé la chaise. Occident DesRives annonce que demain, il y aura visite du Tigre. Tu demandes qui, le tigre, parce que tu n'aimes pas perdre le fil. Occident parle d'un océanographe, Juan, spécialiste en octopodes. «Demain, il pourra nous prendre toutes les trois sans problème.»

Trois cents mètres te séparent du cimetière et de l'église Nuestra Señora del Pilar. Occident règle l'addition. «À plus tard», dis-tu en te dirigeant vers le cimetière. Dans la lumière crue, tu avances avec un bonheur inconnu. Sous les jacarandas dont tu ne verras pas les fleurs et ne sentiras point le parfum, tu souris en pensant au mot austral. Buenos Aires prépare en toi un nid d'amour.

Tu penses à changer le nom de tes personnages. Tu avances instinctivement comme si tu allais à un rendez-vous retrouver une amante, toutes les parties de son corps où il est possible de boire éperdument le plaisir.

Légère. Alerte. Tu pourrais décrire avec précision chaque mouvement qui te rapproche du cimetière. Tous les clichés de l'amour et de la mort rassemblés au pied des statues te ramènent à la vie. De justesse, tu évites un enfant. La mère te regarde avec des yeux furieux, très latins. À l'entrée: des fleurs. Tu franchis le portail. Le mot baroque s'installe dans tes pensées. Te voilà entre les tombes parmi les anges, les cippes et les seaux de chaux. Il fait chaud. Une vieille dame te frôle, son petit foulard noir de veuve effleure ton épaule nue. Tu te retournes. La vieille va péniblement vers la sortie, avalée par la courbe de son ombre. Il fait chaud. Un ouvrier balaie mille poussières blanches autour d'un caveau. Il te fait signe en disant: «*Mira la sepultura de Eva Perón.*» Tu le remercies. L'homme s'efface. Deux femmes conversent au bout d'une allée. Tu vas dans leur direction. Tu les croises. Ta présence les gêne. Du coin de l'œil, tu devines que les deux femmes, *les deux femmes* se sont rapprochées, répétant le même geste. Le bleu si bleu du silence soudain te confond comme un blanc de mémoire. Les deux femmes ont disparu.

6

Juan Existo arrive une demi-heure en retard. Il enlève ses verres fumés, s'écrie «Occident» avant de l'étreindre longuement. La moustache de l'homme frôle la balafre. On dirait un petit balai dont les poils se soulèvent un à un sur l'obstacle rencontré. L'homme cille des yeux comme si une poussière lui était entrée dans l'œil. Il a l'air jeune, mais plus tard en remarquant la peau ridée du cou tu penseras qu'Occident et lui sont du même âge.

Vous longez Figuerea Alcorta, passez devant l'Aéroparque. Le *río* s'impose, immense surface brune qui donne le vertige, bouge comme la seiche en lac profond. Juan parle en français. D'une voix grave, il décrit la situation économique, le quotidien difficile des portègnes. Au sortir de la ville, il converse en espagnol avec Occident. Dans le bruit du vent, tu rattrapes au vol les mots *océano, mujer* et *futuro*. Devant toi, l'ombre et la lumière donnent tour à tour de grands coups de pinceau sur la nuque d'Occident. À travers les cheveux teints, ici et là des filaments de gris. Chaque fois qu'elle tourne la tête vers Juan, la chaîne en or qu'elle porte frôle un grain de beauté. Irène attire ton attention sur des maisons de tôle et de carton. Des enfants zigzaguent parmi des chats lents sur un chemin de terre. Plus loin, vision de villas blanches encastrées dans la couleur jade du feuillage. À cause du vent qui caresse ta peau, tu étreins bien fort le présent. Tigre.

À l'un des embarcadères, un homme vous attend que Juan s'empresse de vous présenter. Son nom t'échappe, noyé dans un Babel linguistique où le français, l'anglais et l'espagnol se transforment en exclamations et formules de politesse. Vous montez dans un yacht qui bientôt file à toute allure sur l'eau marron de la lagune. De grands saules vous frôlent que tu compares à ceux du bayou louisianais.

Le yacht s'arrête devant une luxueuse villa blanche. Discrètement, tu demandes à Occident le nom de l'homme grand et chauve qui vous a conduits. James Warland porte un pantalon blanc de lin, une chemise noire à manches courtes. Ses bras sont velus. Il offre une boisson chilienne qu'il prépare en citant un vers de Gabriela Mistral. Dans le salon aux meubles de noyer, tu reconnais la sonate à Kreutzer pour violon et piano de Beethoven. Juan demande à James s'il a des nouvelles de sa fille. L'homme hausse les épaules en faisant la moue. Juan propose de faire entendre quelques tangos aux invitées. Sur la terrasse deux employés s'affairent à préparer la *parrilla*.

Au cours du repas, Juan vante abondamment les mérites de James Warland. Grâce à l'homme, il a souvent obtenu la permission de circuler dans des zones interdites à la marine marchande et au bateau-mission de l'institut. Irène veut tout connaître de l'histoire argentine. Patient, Juan répond à ses questions de touriste. De temps en temps, James Warland précise une date, situe avec exactitude l'emplacement d'une bataille, d'une rixe, d'une sécheresse. L'homme est enjoué, charmant, cultivé. Il a manifestement l'habitude de la conversation.

Après le repas, Juan propose de faire le tour du propriétaire. Irène et Occident s'empressent

d'accepter. Tu préfères t'attarder à regarder l'eau sombre du delta. James Warland dit: «Alors, je reste avec
vous.» Il offre à boire. Tu demandes un café. Il se sert
un cognac. Tu prends place dans une grande chaise de
bambou. Debout devant toi, l'homme t'interroge sur
Montréal, longuement sur la ville de Québec. «En
général, il fait froid là-bas, n'est-ce pas?» Vous parlez
anglais. L'homme se verse un autre cognac en faisant
surgir un Paris de chancellerie et de sainte chapelle,
puis il passe aux châteaux du Rhin, s'interrompt un
instant pour faire remarquer qu'en hiver le Saint-
Laurent ressemble à un fantôme de conte nordique.
Sans autre avertissement que «*by the way*», l'homme
t'étonne en mentionnant la Crise d'octobre. Il explique
méticuleusement ce que signifie Loi sur les mesures de
guerre. Maintenant vous descendez le Mékong.
L'homme t'entraîne au bout du monde. Il tapisse l'espace de descriptions fines. Vous visitez des palais, des
ruines au milieu de la jungle qui envahit les bras et les
visages de déesses langoureuses et maléfiques. Vous
pénétrez dans la grande pyramide de Kheops. Vous tra-
versez des villes portuaires où la lumière aveugle les
étrangers. Des peuples tout entiers se soulèvent aux
confins des mers. Vous marchez au milieu des guerres
et des révolutions, des coups d'État et des émeutes, sans
voir la moindre goutte de sang. À chaque pays, comme
s'il franchissait une frontière, l'homme passe la paume
de sa main droite sur son crâne lisse.

Il se sert un autre verre, fait quelques pas vers le
ponton, se tient droit, immobile devant l'eau argileuse.
Il revient vers toi: «Vous ne trouvez pas qu'il y a une
drôle d'odeur? L'odeur des noyés est si étrange.»

Et soudain, il les voit. Certains portent un pantalon. Leurs poitrines sont lacérées. D'autres, com-
plètement nus, tombent dru, poignets et pieds liés par
des fils de fer qui creusent dans la chair des sillons

bleus. Les femmes ont des robes déchirées qui gonflées par le vent ont l'air de sinistres cerfs-volants. Le vent ne soulève pas leurs cheveux souillés. Il y a des morts, il y a des vivants. Les vivants ouvrent la bouche en tombant des hélicoptères. Certains jours, on ne voit pas les corps. Seulement des sacs de plastique qui percent la mer comme des clous. Sous l'eau, les cadavres piquent du nez au milieu des poissons. Les vivants dont on a attaché seulement les pieds font des hélices avec leurs bras. Ils perdent vite conscience, entrent en convulsions. L'œil est un corps vitreux, une bille blanche qui roule au fond de la nuit abyssale.

Tu ne sais pas à quel moment tu as pensé: Cet homme est un requin. Et parce que l'homme est un requin, tu redoubles d'attention. Ton attention excite l'homme qui répète souvent *«you know»* avant d'avaler d'autres mots qu'il régurgite aussitôt délabialisés, gutturaux.

Maintenant, l'homme marche le long de l'eau. Tu n'entends plus ce qu'il dit. Il gesticule. Passe souvent la main sous son menton comme s'il nettoyait des restes de nourriture ou pour arrêter le mouvement de l'eau sur son menton. Il faudrait peut-être dire quelque chose, mais l'ébriété de l'homme te garde à distance. Pendant qu'il parlait, tu as serré si fort les bras de la chaise qu'un petit morceau de bambou a pénétré dans la partie palmée de la main entre le pouce et l'index. Dans leur chute, les corps sont passés tout près de toi. Tu as pu distinguer les fleurs, les oiseaux, les lacs d'amour imprimés sur les robes en liberty des femmes, la barbe de trois jours sur les joues livides des jeunes hommes, le sperme séché dans les cheveux des femmes.

Pour te calmer, tu essaies maintenant de mesurer cette chose qui n'est pas le temps d'un récit, d'un délire, non plus que celui d'un silence. Évaluer l'écart entre la morale de l'action, la morale du mensonge et la morale du souvenir. Pour ne pas pleurer, tu calcules le temps que la conscience met à parcourir la distance entre la bouche qui énonce et les yeux captifs de l'énoncé. Tu ne sais pas, tu voudrais savoir si le délire contient en germe la morale du repenti ou s'il ne fait qu'accentuer la fièvre du pervers.

La voix d'Occident. Le trio se rapproche. James Warland reprend ses esprits. Seul un petit filet de salive sur le col de sa chemise trahit la crise. L'homme sourit de toutes ses dents blanches d'homme blanc.

Avant le départ, Irène veut prendre une photo de groupe. Vous resserrez les rangs. Tu t'installes entre Juan et Occident. À cause de sa taille, l'homme se place derrière vous. Il y a une drôle d'odeur. Juan remercie James. Un employé vous raccompagne à l'embarcadère.

Dans l'auto, tu ne dis mot. Le délire de l'homme t'a plongée dans un mutisme sans égal. L'eau du delta est maintenant suspecte. Tu glisses dans tes pensées. Dans une zone d'eau éclairée par le soleil, tu nages paisiblement. Soudain il est là. Il circule majestueusement au-dessus de toi. Son ventre blanc, grand massif de chair ferme, défile comme un sous-marin. Il s'éloigne, vire, imperturbable il repasse au-dessus de toi montrant une gueule en forme de cicatrice d'abord passive, puis ouverte béance des béances sur le paysage accidenté des dents, corail scintillant. Ensuite, la masse glisse grise ailleurs. Au loin, une forme vient vers toi. Tu reconnais la femme de Hyde Park. Elle nage dans ta direction un grand couteau, un grand stylo, entre les dents, tu ne sais pas discerner. Elle vient vers toi, vite à ton secours tu crois.

De retour dans ta chambre, tu notes: le roman n'a pas bougé. Toujours le même avec ses lèvres enflées qui attirent les curieux sur la place publique. La femme de

Hyde Park a repris sa place devant la fenêtre. Tu tournes en rond de la fenêtre au lit. Tu ouvres le tiroir de la table de chevet. La Bible sent le moisi. Tu l'ouvres au hasard. Péniblement, tu traduis: «La fin de toute chair est arrivée, je l'ai décidé, car la terre est pleine de violence à cause des hommes et je vais les faire disparaître.» Tu recommences. «Le terme de toute chair est venu en face de moi: / oui, la terre est pleine de violence face à eux, / Me voici, je les détruis avec la terre.» À nouveau, tu essaies: «La fin de toute chair est venue devant moi; car la terre est remplie par eux de violence et voici que moi je vais les détruire avec la terre.»

7

Vingt heures. Un seul désir bouge au milieu de toi: Buenos Aires nocturne. Tu glisses une carte de la ville dans *Labyrinthes* de Borges. Le taxi te dépose au coin de Corrientes et de Montevideo. Les trottoirs regorgent de passants. Le bruit, le mouvement, la pollution te saisissent à la gorge. À peine cent mètres de marche que déjà tu t'arrêtes au Premier Caffe où tu avales un coke.

Tout près se trouve le centre culturel San Martin et son théâtre. Visages, vitrines, fragments de phrases et de culture. Derrière le grand escalier, une salle d'exposition. Des photos d'Alicia D'Amico et de Sarah Facio. Portraits d'écrivains latino-américains. Tu reconnais les visages de Marquez, Fuentes, Cortázar et Borges. Tu découvres celui de Juan Rulfo. Un seul portrait de femme: Silvina Ocampo dont tu ne verras pas le visage puisque la femme a choisi de le cacher derrière sa main ouverte en forme d'étoile intimant de ne pas approcher. L'autre main est une main qui a bien saisi, poing tenu comme un cri à la hauteur du ventre. Au bas de la photo: *Ventana donde estan los ojos*.

Dans le foyer, une affiche attire ton attention: Danza Tango X 2. Il reste des billets. Le spectacle est sur le point de commencer. La salle bruisse. L'éclairage accompagne les musiciens à leurs instruments. Dès les premières notes, une indicible sensation de présent.

Un fabuleux présent qui contient tous les plis de la douleur, de la solitude et du bonheur roulés au fond de toi comme une partition oubliée, un manuscrit qui attend son heure. Cette musique fait partie de toi. Elle est installée en toi comme un système de sons. Un système nerveux qui irrigue tout le cortex et le ventre. C'est comme défaillir, être soudainement déracinée du réel, puis soumise à la force d'attraction d'un moi très charnel et lucide. À chaque coup d'archet, à chaque respiration du bandonéon, tu te dissous dans ta propre énigme, ton désir rempli de rivages et d'une chose poignante que tu ne peux nommer.

Un couple de danseurs apparaît. La noblesse de leurs pas flexibles et mystérieux sème le ravissement dans la salle. Tu devines le courant d'énergie qui traverse le cortex, dessine des crocs-en-jambe audacieux. Un morse en dents de scie et d'harmonie ordonne chaque pas de rapprochement, éloigne les corps, prolonge le pacte. Bris de rythme. Bris de pacte. La robe s'entr'ouvre, de la cheville au galbe de la cuisse, la femme fait volte-face. Beauté des gestes codés, fétiches là où l'équilibre est tout à la fois précaire, indiscutablement parfait.

Plus tard, en marchant sur Corrientes, tu te laisses envahir par ce qui ressemble à la joie. Un bon vent de nuit soulève en toi l'énergie de la créatrice. Dans cette ville, tu existes. Il n'y a de double en toi que l'énergie.

Aujourd'hui, lendemain de nuit portègne, *Cybil
Noland peut presque palper l'énergie qui circule dans la chambre. Sixtine, cette nuit, je me suis rapprochée de toi. Je me suis
laissée emporter par le désir, ce vieux mot avec lequel on triche
parfois pour oublier que tout va vite et qu'un jour on n'aura
plus d'idées à mettre entre l'univers et nous.*

On a glissé un message sous ta porte: rendez-vous
à treize heures dans le hall de l'hôtel pour une réunion
préparatoire à la mission.

Avant-midi lumineux, libre. Prendre le large, une
rue longue qui longe le parc Las Heras. Au coin de
Santa Fé et de Coronel Díaz, la pollution pénètre dans
les yeux avec des airs jaunes de chien malade. Tu te
réfugies un instant dans le décor rouge du café Tolon.
Bientôt, tu reprends une errance savourée dans la
lumière dominicale.

Peu à peu, le quartier se révèle. Des vitrines offrent
sans éclat le nécessaire au milieu du béton et de la
brique. Sur des trottoirs éventrés, des hommes discu-
tent devant leur commerce où tomates et courgettes,
pommes et bananes luisent comme des couleurs primaires. Des enfants, des marchands de roses. Rue
Salguero, à la hauteur de Soler, l'affiche du Freud
Video Club te fait sourire. Un peu plus loin, tu t'arrêtes,
incrédule, devant le café Freud. Place Guémez, des

enfants jouent entre les palmiers. Comme un mirage, l'enseigne d'un deuxième café, celui-là nommé Jung. Une église somptueuse domine la place. Les cloches sonnent. Des femmes vendent des rameaux comme au temps de ton enfance.

Pendant un moment, tu marches ta petite main dans la main douce de maman Noland. Elle porte sa robe rose incarnat toute fleurie. Les cloches de Marie-Reine-du-Monde sonnent à toute volée. Soudain, il n'y a plus de distance culturelle. Tout coïncide. Les églises sont remplies à craquer, les voitures, américaines. Les femmes sont des mères, les hommes jouent les pères, un enfant égale un enfant. La famille est une famille. Les jeunes femmes ont des fiancés. Les fiancées sont de futures épouses. Les hommes portent le pantalon. Comme dans ton enfance, tout est en règle grâce à Dieu.

Pourtant entre les églises, les écoles et les couvents de ton enfance, tu marchais à reculons, t'éloignant chaque fois que tu le pouvais des sentiers battus. Un double temps s'installait déjà en toi, sorte de réalité convexe qui te permettait de voir venir l'avenir. L'avenir, tu en profitas car il était alors possible de faire des sauts joyeux dans l'histoire et d'en changer le cours. Les églises se vidaient, les couvents fermaient. La famille n'était plus une cellule. Les fiancées étaient de futures amantes. La turbulence. C'était pétulance et goût de tout. Les yeux braqués sur l'horizon, tu appris à faire fi du passé et à regarder les femmes dans les yeux. Et voilà que le temps des choses du passé était revenu par un beau dimanche des Rameaux, à ton corps défendant, se blottir dans tes pensées.

Le temps a retrouvé son endroit.

Tu pénètres dans l'église au moment où le prêtre fait son prédicateur. Il prononce souvent *mujer* et *mujeres*. Tu finis par comprendre: ah! la femme adultère. De chaque côté de la grande allée, les fidèles écoutent religieusement. Dans sa chasuble dorée, l'homme mastique de sombres menaces. Orémus.

Tu achètes un journal et t'installes au café Freud. Aux tables voisines, on lit, on cause, on griffonne, chacun s'efforçant à sa manière d'ennoblir le quotidien. Écrire: cette manière d'appuyer l'avant-bras sur la table, de tenir le stylo entre le pouce et l'index. Les soupirs entre deux paragraphes, cette façon quand rien ne va plus de se passer la main dans les cheveux, de caresser le menton, de lever des yeux fiévreux sur des passants distraits. Et soudain cette image: les terrasses de toutes les grandes villes sont occupées par des femmes qui écrivent sans se soucier du temps et du vent, du papier qui boit indifféremment les bonnes idées, les mauvaises pensées, les déclarations d'amour, une liste d'épicerie ou la pure fiction tout juste à l'instant conçue.

Pagina 12. Page 43, une photo de Nicole Brossard. Un court texte annonce la conférence qu'elle donnera ce soir à la Feria del Libro. Tu avais oublié le rendez-vous. Tu arrives en retard. Occident est tout de noir vêtue. Sur sa tête, une casquette comme celle que portent les jeunes et les moins jeunes consommateurs du monde entier. Irène a mis des boucles d'oreilles en forme de spirale. Occident parle de bibliothèque et de réalité virtuelle, mais tu n'entends rien, agitée à la pensée de revoir Brossard. Plus tard, tu demandes à Irène de t'accompagner au Salon du livre. Avec son appareil photo bien sûr.

Le salon d'exposition est immense. Les kiosques de renseignements sont tenus par des hôtesses dont les mini-jupes ont sans doute pour effet d'augmenter le pouvoir d'achat des lecteurs. Vous vous renseignez plusieurs fois avant de trouver la salle Pizarnik où vous vous installez dans la troisième rangée en espérant être remarquées par la romancière. Le public est féminin latin à l'exception de quelques hommes de l'ambassade britannique. On présente la traductrice qui à son tour présente Brossard. Une belle complicité s'installe entre les deux femmes. Brossard parle toujours avec autant de conviction. Elle a un peu vieilli. Ses yeux sont vifs.

«... parce que nous sommes exilées de nous-mêmes dans la langue et l'imaginaire de nos cultures respectives, nous ne pouvons pas faire un usage naïf de ces outils indispensables à la conscience de soi et du monde. Dans une certaine mesure, nous sommes condamnées à élucider l'insoutenable posture qui est la nôtre au milieu des images qui reflètent notre exclusion, notre fragmentation, au milieu des contradictions qui ne sont pas nôtres, mais dont nous faisons les frais et qui nous plongent dans l'ambivalence, la double contrainte, la culpabilité, le doute, l'autocensure. Inutile de prendre la parole pour renforcer les paysages du *statu quo*. C'est par la fiction de l'Homme que nous

sommes devenues fictives, sortons de la fiction par la
fiction. Nous existerons dans le récit que nous inven-
terons. Mais, il faudra de formidables colères, un désir
plus fou que tous les désirs surréalistes, une curiosité
qui oblige à commettre de terribles indiscrétions, à
poursuivre de difficiles enquêtes. Il faudra apprendre à
dépasser les bornes.»

Les paroles de Brossard ont réveillé de vieilles
angoisses. Les questions reviennent, se multiplient
comme les roches chauves qui, le printemps dernier,
faisaient le guet devant l'île Barnabé. Tu aimes la vita-
lité, le dire direct de Brossard. Toi, tu restes inquiète,
assaillie de doutes, cherchant un point de vue qui pourrait te rendre l'humanité aimable. Tu espères que tes
savants calculs t'aideront à empêcher que la littérature
ne tombe en désuétude maintenant que la réalité et la
fiction arrivent *ex æquo* à faire la preuve de nos malheurs et de nos rêves les plus audacieux.

La traductrice demande s'il y a des questions. Il y
en a plusieurs. À chaque réponse optimiste de Nicole,
tu chasses la dangereuse pensée que les mots sont plats
comme des autocollants remplis d'œstrogène et de
testostérone servant à prolonger artificiellement l'élan
de vie. Au bout d'un certain temps, tu t'imagines, un
genou au sol, le pied dans la butée, nerveuse et fébrile
comme une coureuse de fond attendant le signal de
départ. Oh! oui, ils sont terriblement vivants les mots
qui te tirent sans cesse d'embarras.

Après la conférence, Irène fera plusieurs photos
de vous. Nicole mettra sa main sur ton épaule. Tu souri-
ras, un frisson à la commissure des lèvres. Plus tard,
vous retrouverez des romancières argentines dans un
restaurant de la Placita. En aparté, tu confieras à
Nicole, oui, la sensation d'un double temps, d'un double *dire* qui te plonge dans une angoisse indicible. Du
revers de la main, faisant cavalièrement fi de ton désar-

roi, elle affirmera que chacune doit affronter seule l'épreuve du dire «je veux dire sa partie difficile. Il faut se faire à l'idée qu'une phrase bien écrite ne camouflera jamais l'air idiot que donne le sentiment de pouvoir vaincre la mort; *so tape the creative energy around your waist like a safety belt and forget about fear*».

Tu aimerais qu'elle s'embarque avec vous sur le *Symbol.*

De retour à l'hôtel Alvear, Irène t'entraîne au bar. C'est votre premier tête à tête depuis la nuit d'encre passée ensemble à Rimouski.

Irène commande du champagne. Dès les premières gorgées, elle donne l'impression de vouloir conquérir le monde. Elle parle d'abondance en regardant au-dessus de ton épaule. Quelque chose de torride dans ses propos. Ça brûle de partout. Ça veut tout: le présent, le contraire et surtout laisser sa marque. «Je voudrais... ça me monte à la tête chaque fois que je produis. Il y a trop d'images nées de ma passion pour la lumière.» Le réel. Ses mains bougent constamment, répètent dans l'air enfumé le même motif que tu t'empresses mentalement de qualifier: digital. Au début, tu penses «elle délire» parce que tu ne vois pas l'image, seulement le sentiment comme une chose esseulée à l'avant-plan de son excitation. Ce qu'elle prononce est incohérent, parfaitement intelligible, absolument émouvant et abstrait.

Au deuxième verre de champagne, au moment où tu ne songes plus à l'arrêter, voilà qu'elle expose fièrement son silence comme d'autres un argument. Le silence ondule, ruban de nostalgie, dans l'air conditionné du bar bruissant.

Sans te regarder, sans bouger les yeux, elle prend ta main. Sa paume est chaude comme si elle avait abrité un petit animal ou vécu une longue vie de poing fermé au fond d'un manteau de loutre. Tu formules l'hypothèse que la main est chaude parce que Irène est une artiste et que tu l'as déjà entendue dire comme Clarice Lispector: «J'essaie de photographier le parfum.» La chaleur de la main abrite ton propre univers de fantasmes. La chaleur pénètre dans ton corps de romancière et tu n'oses plus bouger devant le personnage.

Le futur *dark*

Personne ne rit dans le rêve.

HERMAN BROCH

Par moments, il m'est bien égal de ne
jamais toucher au réel.

FRANCE THÉORET

Le *Symbol*

Il y avait maintenant trois heures qu'elles étaient montées sur le *Symbol*. Juan Existo les avait accompagnées jusqu'à La Plata. Sur les quais, elles s'étaient faufilées entre les débardeurs et les matelots. Quelques marins argentins allaient se joindre à l'équipage du *Symbol*. Avec leurs femmes, ils formaient un petit attroupement sonore d'où émergeaient des mains de femmes, apollons affectueux qui allaient se poser sur la tête des hommes ou battre de l'aile sur une joue, un front déjà tourné vers le large. Des matelots enlaçaient la taille de leur fiancée, d'autres palpaient tendrement la nuque et le cou d'une épouse émue. Au milieu des pleurs, des exclamations et des onomatopées de baisers mouillés, les trois femmes étaient la cible des regards suspicieux des «douces moitiés». Occident avait expliqué: «À chaque embarquement, c'est toujours le même scénario. Elles s'imaginent que...»

Le capitaine Carlos Loïc Nadeau les avait accueillies avec le bel accent «symphonique» composé à même les cordes sensibles et métissées d'une origine plurielle qu'il avait fini par confondre avec le mot original. Il leur avait présenté son assistant, Jean Lanctôt, le médecin de bord, Thomas Lemieux, grand homme nerveux aux sourcils broussailleux, le cuisinier Paul Blanquette de Baie-Saint-Paul, l'aumônier *padre* Pedro

Sinocchio, un rachitique aux yeux de velours et de stress qui chaque fois qu'il ouvrait la bouche passait l'index de sa main gauche sous son col romain comme s'il y avait un rapport de cause à effet entre parler et avoir la pomme d'Adam dans le vent. L'étudiant à la boucle d'oreille que Cybil avait aperçu à Rimouski était de la mission. Occident l'avait présenté: Derrick Tremblay. L'homme avait maigri. Dans la lumière du crépuscule, les plongeurs étaient apparus: Pascal, Robert alias Flash et Philippe Demers.

Le bateau s'était éloigné. Par principe pour les uns, par tendresse pour les autres, tout le monde avait agité la main. Cybil avait eu envie de rire et de parler fort, de danser, de courir, bref d'exister si physiquement qu'il n'y aurait rien eu d'autre à penser que l'enchaînement des gestes et leur solution de continuité au fil d'une vie.

Une fois le soleil couché et l'horizon transformé en encre parsemée d'étoiles, Cybil monta sur le pont. Les cheveux au vent, accoudée au langage, elle laissa la Sixtine et son histoire de vie venir vers elle. Une si forte certitude l'habita à propos de l'immensité et des constellations qu'un goût plus fort encore que celui du voyage se confondit sur ses lèvres à celui de l'air salin qui, on ne sait pourquoi, enivre toujours la masse liquide du corps.

Cette nuit-là, Cybil s'endormit, un œil sur le hublot, espérant beaucoup de la suite des événements.

La bibliothèque

Le premier matin, Irène arriva en trombe chez Cybil.

— Occident exige que nous passions les cinq premiers jours à la bibliothèque. Elle dit que nous devons nous documenter. J'ai protesté. Elle a répété: «J'exige, c'est nécessaire», et m'a fait promettre de suivre la consigne. Tout cela s'est passé très vite. Je ne sais à quel argument, à quelle séduction j'ai succombé, mais j'ai promis! Elle m'a chargée de t'arracher le même engagement.

Cybil croyait rêver. Elle demanda à Irène de répéter. En quelques secondes, la peur, la colère et le désespoir firent le tour de ses neurones et elle déclara la guerre à Occident.

— Mais, il y a la mer. Le vent, la couleur du ciel, la vie des sens. C'est avec cela que nous pouvons réaliser l'album. Nous devons circuler librement. Respirer normalement. Manger, chanter. Parler et r/ire. Nous ne pouvons pas nous enfermer dans une bibliothèque au nom de l'art. Nous sommes ici pour ouvrir l'œil. Pour que la fièvre du soleil monte en nous, que l'air salin fasse craquer nos lèvres. Nous sommes ici pour le corps, pour que l'esprit s'abandonne au vent, au silence et à la nuit. Nous sommes ici pour laisser flotter notre imagination.

— Elle dit que les repas passés en compagnie du capitaine, de l'aumônier, du docteur et d'elle-même suffiront amplement à nous mettre en situation.

— Elle est folle! dit Cybil en ouvrant précipitamment la porte de la cabine.

Sur le seuil, Derrick Tremblay les attendait. Elles l'assaillirent de questions. Pour toute réponse, l'homme dit: «Je préférerais ne pas le faire[6].» Quelques couloirs à traverser. Déclic. La bibliothèque.

Petite, mais attrayante. D'un côté des albums, de l'autre: livres et revues. Au centre, une table à cartes. Quatre chaises comme pour une partie de bridge. Tout au fond, l'œil serein du hublot. Sur les murs, portraits de capitaines. Eaux-fortes. Navires et tempêtes du bout du monde.

Les deux femmes se dirigent tout naturellement vers le hublot comme s'il y avait là matière à songer liberté. Une lumière douce, quelques moutons, couleur encore marron de l'eau. En silence, elles font le tour des rayons: trois bibles, la collection complète des albums de Jacques Cousteau, une biographie du plongeur Jacques Mayol, des romans de Victor Hugo, Jules Verne, Melville et Joseph Conrad. Des livres techniques sur le carottage et la pêche en haute mer. *Amantes marines* de Robert Choquette, *Portulan* de Pierre Perrault, *Les fous de Bassan* d'Anne Hébert. Perdus au milieu des revues scientifiques, des numéros de *Playboy* et de *Penthouse.*

— C'est une mauvaise blague.

— Tu veux dire un enlèvement.

— Je ne pense pas. Quelque chose me dit qu'Occident ne veut pas nous effrayer. Peut-être nous dompter un peu, provoquer en nous un tourment initiateur. Je ne sais pas, mais il y a sûrement une raison. Il n'y a pas de hasard avec Occident.

— Nous aurions dû nous méfier. Tu aurais le courage de saccager la bibliothèque en signe de protestation?

— Non.

— Ultime recours, tu pourrais séduire Occident?

— Non.

Irène est installée devant le hublot. Pouces et index lui servent à cadrer quelques sujets invisibles, à découper l'horizon en fragments imaginaires répartis dans la lumière vive. Cybil se promène de long en large, cherche un stylo, de quoi écrire. Quoi écrire. Les images, les hypothèses se bousculent dans sa tête.

À midi et demi, Derrick Tremblay apporta des sandwiches et des chips, une cruche d'eau et du café. Il dit: «Le temps est une chose qui se mesure mal. Je vous envie d'avoir tout ce temps devant vous.» Vers quatorze heures, Cybil se décida à feuilleter un album. Coraux, plaines abyssales, grandes dorsales. Des milliers d'organismes vivants attendent dans un jardin d'encre et de nuit une pluie nourricière composée de cadavres et de détritus. La grande baudroie femelle fait son apparition suivie du grand serpent des mers et du poisson chauve-souris à lèvres rouges qui troublent un instant Cybil. Irène vint s'asseoir près d'elle.

— Somme toute, cela nous obligera à comparer nos impressions.

— Oui. Ce sera notre chambre claire.

Elle imagina Irène dans sa chambre noire, allant d'un bassin à l'autre, soulevant de grandes feuilles soudain signifiantes et précieuses sous la lumière infrarouge. Au nom de la lumière, affronter le noir de solitude acide.

Comme saisie d'une idée irréprochable, Irène touche le bras de Cybil en s'exclamant:

— Demain, j'apporte ma Nikon, puis sur un ton de défaite: Ah! j'ai oublié: Occident n'autorise ni papier ni crayon. Elle dit que tout doit passer par la mémoire et l'imagination.

— Donc pas d'appareil photo.

— Oui, mon «numérique». De retour à Montréal, je pourrai ainsi tout recomposer. Recadrer, défaire et réinventer les preuves de notre séjour en mer. Qui sait en quoi je te transformerai, quelle image ignorée de toi je ferai surgir au gré de mon caprice. L'avenir de l'album se cache dans mon appareil.

— L'avenir n'est pas une apparence d'apparence.

À dix-sept heures, on ouvrit la porte et elles furent conduites à leur cabine. Plus tard, un matelot les accompagna à la salle à manger.

Sibylles et *ignudi*

Ils sont là autour de la table. Le corps droit, l'allure fière, l'air satisfait. Occident porte une robe bain de soleil de ce même turquoise qui recouvre les murs de son bureau. Pour la première fois, elle a maquillé la balafre. À peine Cybil est-elle entrée dans la salle à manger que la sensation du temps double s'installe en elle et les mots terribles qu'elle avait ordonnés en rafales de sens afin de déclarer la guerre à Occident se perdent dans le fumet du potage.

L'aumônier récite le bénédicité en latin. Le capitaine à qui revient l'initiative de la conversation fait remarquer que la mer d'ici est d'une tranquillité rassurante comparée à celle qui, à l'embouchure du Saint-Laurent, sort facilement ses griffes de mégère. *Padre* Sinocchio aime se montrer courtois et cordial. Il voudrait dire quelques mots sur la vie des arts au Québec. Il cherche un premier nom qui ne vient pas. Alors confus, il se résout à parler de son Éminence le cardinal Paul-Émile Léger qu'il a eu l'honneur de rencontrer une fois à Rome. Occident profite de l'occasion pour entraîner tout le monde dans la chapelle Sixtine qu'elle connaît par cœur.

Avec de grands gestes, elle entreprend de décrire ce que du point de vue du célébrant on voit parfaitement, ce que de leurs places les visiteurs distinguent à

peine, ce que d'ailleurs on peut différemment con-
cevoir. Ici, les *ignudi* servent de ponctuation, là-haut, la
narration est déployée de manière à tromper les
attentes. Aujourd'hui le même exposé sur la création
du monde serait impensable à cause des règles de la
narration qui obligent à pointer l'infini d'une main et
de l'autre à s'en servir.

Ensuite, elle commente les images qui composent
la *Séparation des eaux*, la *Création des astres* et la *Séparation
de la lumière et des ténèbres*. Cybil veut intervenir, mais
Occident enchaîne sans égard pour la romancière.

«Oui, elles sont païennes, elles sont au nombre de
cinq, venues de Perse, de Libye et d'Érythrée, de
Cumes et de Delphes. Chacune fait face à un prophète
de la tradition hébraïque. Toutes tiennent un livre à la
main, sauf la sibylle de Delphes d'aspect juvénile dont
la main se referme sur la partie enroulée d'un papyrus.
Son regard est sollicité vers la gauche, aujourd'hui on
dirait par la caméra, peut-être la voix d'un metteur en
scène. Sa bouche est entr'ouverte. La Libyque, tout en
courbes et cambrures, soulève à bout de bras un grand
livre ouvert en forme de V dont elle détourne le regard.
L'Érythréenne aux bras musclés s'apprête à tourner la
page d'un livre placé derrière elle sur un lutrin. Son
corps pourrait être celui d'un jeune homme. La
Persique, femme âgée entièrement vêtue de tissus et de
plis, tient, fort rapproché de son visage, un livre qu'elle
scrute avidement. La sibylle de Cumes, en âge d'être
ménopausée, offre un corps mamelonné. Son bras
droit dénudé est musclé comme celui de Dieu. Telle
une presbyte, elle lit en gardant à distance le livre placé
tout bas à la hauteur de sa taille comme pour le démar-
quer de sa personne. Son visage est dur, le nez aquilin,
le menton pointu.

«Puisque toutes ces femmes ont en commun d'être
associées au livre, je laisse maintenant la parole à Cybil.»

Pour le moment, rien à ajouter.

Alors le *padre* Sinocchio s'empressa d'affirmer, on vit qu'il affirmait à la couleur de ses joues empourprées, qu'on ne pouvait pas nier le phénomène du déluge. Noé, l'arche, tout cela ne pouvait pas être le fruit de notre imagination.

— Aujourd'hui, vous savez, dit le docteur, le déluge serait impensable. Il y a suffisamment de savants, d'ingénieurs et d'ordinateurs pour nous tirer de la flotte.

— Oui, mais le chaos, lui, il est d'actualité, intervint Cybil avec l'énergie d'une louve.

Le docteur marmotta quelques remarques misanthropes, puis il se tut en pensant que cette femme qui prétendait écrire des romans était d'une autre époque. Laquelle?

Le genou d'Irène frôla la jambe de Cybil qui soudainement mue par un mécanisme inconnu ressentit un urgent besoin de déclarer: «*Nobody knows what lies in the human body.*»

— *Only the lonely*, répondit en souriant Lemieux.

La confusion s'installait. La langue était comme une grande folle assoiffée de rêves. Au milieu des personnages, elle avalait, vite, goulûment. Elle buvait tout, petites et grandes histoires. Inassouvissable, elle soulevait la mince couche de solitude qui protège d'autrui, siphonnant tout ce qui ne s'écrit pas, ne se partage pas. Il fallait apprendre à manipuler son côté abstrait et inquiet pour que la réalité enfile son aiguille du temps, pour que les paroles fuyantes et les mots convenus se transforment en courants de pensée. La langue tourbillonnait, ouragan fou, trombe d'eau. La langue avalait son propre déluge.

Il fallait beaucoup d'amour pour que la langue nous enivre sans nous plonger dans le chaos de délire dont le corps prétend n'être jamais assouvi. Il fallait assidûment la solliciter pour qu'elle nous oriente vers le futur, ouvrant ses bras en forme de grande allée bordée de sapins bleus, parfumés de la terre à son meilleur.

La langue longeait ce premier repas. Elle contournait les épaules larges de Carlos Loïc Nadeau quand il parlait de discipline et d'autorité. Elle amaigrissait le *padre* Sinocchio, détruisait sa crédibilité, l'abandonnait las et inquiet derrière son col romain. La langue entrait dans la spirale des boucles d'oreilles d'Irène, lui pinçait les lobes des oreilles, l'obligeait à faire attention aux images surexposées, trompeuses.

La langue est féroce, pensait Cybil. Pour un mot mal placé, une phrase de trop, elle détruit des réputations. Elle ne pardonne pas si on l'écarte ou la désire distraitement.

Il fallait tourner la langue vers le futur, l'obliger à illuminer les villes dans leurs moindres recoins, l'amener peu à peu à révéler le dessous des démences d'exil, de mémoire et d'ambition qui avalaient les êtres de raison.

La langue filtrait les pensées, flirtait avec nos faiblesses, puis selon la nécessité, justifiait tout, ludique, psychotique, logique.

Le *padre* Sinocchio s'efforçait de rassembler les bribes de conversation, l'éparpillement des volontés qui flottaient négligemment dans la salle à manger. Il clignait de l'œil, avalait trop vite, emporté par le flot des images rapides et superficielles qui pourtant ne feraient jamais le poids devant le Nouveau Testament. Il aurait voulu proposer que l'on prie plus souvent devant le vent et les dangers dont la mer était à l'origine. Carlos Loïc Nadeau lui parlait lentement. Grand séducteur, il tenait pour essentiel de naviguer en caressant la mer puisque chaque caresse valait bien une prière et qu'avec des caresses et la science de leur magie, on obtenait de la mer ce qu'on voulait même si cela tournait parfois mal.

Le docteur et Irène allumèrent une cigarette en même temps. Cybil regarda Occident dans les yeux comme si elle allait l'inonder de questions sauvages et sans ponctuation. Occident baissa les yeux, se tourna vers Paul Blanquette qui approchait solennellement, étincelant de joie de vivre, tenant à bout de bras un grand plat d'argent où baignait dans son jus le mystérieux canard à la sauce Mornay qui avait fait sa renommée.

La langue animait en Cybil une angoisse qui frisait le ridicule et elle ne trouva rien d'autre à déclarer que: «Nous vivons dans un monde de fous.» «Depuis toujours», répondit promptement le docteur Lemieux à qui répugnait l'idée que des femmes savantes puissent prononcer des phrases stupides.

«Depuis toujours. Croyez-vous, mademoiselle Noland, que le tourment de vivre commence avec vous? Convenez qu'il y a bien longtemps que les hommes savent que le secret de la vie est à la mesure du tourment de l'Homme. Vivre bien est strictement une affaire de science. Comme il y a une science de la mer, il y a une science du malheur humain. Vivre bien suppose qu'on a vécu et réfléchi de manière à faire science de ce malheur. Il faut s'instruire des choses simples telles que la chasse, le coït et la guerre avant de penser que le secret de la vie réside dans une chose telle que l'amour de l'autre. Et l'égalité, n'en parlons pas. Lorsque vous dites que nous vivons dans un monde de fous, vous signalez grossièrement votre incapacité à comprendre et à décrire une forme de chaos naturel.»

Cybil ne répliqua pas. Lemieux était d'une autre époque. Laquelle? Sinocchio risqua: «La mer enrichit l'âme de tous. En effet, depuis le déluge, nous savons qu'il faut garder espoir de la première colombe.»

Irène sirotait son vin. Occident avait perdu toute contenance. D'une main, elle donnait l'impression de vouloir protéger le docteur contre toutes les intempéries de la vie, de l'autre, elle replaçait les ustensiles du capitaine de manière qu'il n'ait vraiment qu'à lever le petit doigt pour manger.

Le *padre* Sinocchio voulut à nouveau intervenir mais son doigt «djamma» comme un mot étranger coincé entre son col empesé et la chair de son cou qui ne connaîtrait jamais la douceur parfumée des cheveux doux d'une femme aimée.

Irène éclata d'un immense fou rire. Si fou que deux matelots apparurent comme si l'état d'urgence avait été déclaré. Cybil sombra dans une rêverie sans fond. Sans eau. Sans horizon. Sans loi. Tête première, elle s'enfonça comme une fusée mise à feu à l'envers dans un monde insolite où les questions lui semblaient soudain sans fondement. Thomas Lemieux prit son couteau, hocha la tête, se ravisa, sortit de sa poche un bel étui d'argent d'où il tira un scalpel d'argent.

«Mesdemoiselles, ouvrez l'œil. Vous aurez bientôt l'occasion de voir comment la chair fraîche fend sous le scalpel de la science. Quand vous en aurez fini avec la bibliothèque et que vous viendrez sur le pont respirer l'air vrai de vie en mer, je vous promets un beau spectacle. Sachez qu'il ne faut jamais perdre pied, fussions-nous coulés dans le béton ou enfoncés dans les marées cages de malheur*e*.»

Les parcs

Le lendemain. Cybil et Irène se rendirent d'elles-mêmes à la bibliothèque. Irène avait apporté sa Nikon. Cybil s'installa près du hublot avec *L'homme qui rit*. Elle feuilleta le livre et tomba sur ce passage où sont décrits les différents clubs monarchiques que l'on trouvait à Londres après la restauration de Charles II. Comme elle ne pouvait écrire, elle mémorisa. Il y avait le She Romps Club. On prenait dans la rue une femme, une passante, une bourgeoise, aussi peu vieille et aussi peu laide que possible; on la poussait dans le club de force et on la faisait marcher sur les mains les pieds en l'air, le visage voilé par ses jupes retombantes. Si elle y mettait de la mauvaise grâce, on cinglait un peu de la cravache ce qui n'était plus voilé. C'était sa faute. Les écuyers de ce genre de manège s'appelaient «les sauteurs». Il y avait aussi le Club des laids, le Beefsteak Club, le Splitfarthing Club, le Club des Éclairs de chaleur, le Hellfire Club, le grand Mohock et le Fun Club que Cybil considéra comme l'ancêtre de la bande sadique et vandale du film *Clockwork Orange*.

Écœurée, elle alla voir du côté des *Travailleurs de la mer*. Elle descendit avec Gilliatt au fond de l'abîme, regarda l'homme lutter contre la pieuvre maléfique qu'était le monstre de fiction puis, au moment où il s'apprêtait à dégager le squelette de Clubin enfoui sous les crabes, elle referma le livre.

Quand elle remonta à la surface, Irène l'attendait, appareil pointé en sa direction. Cybil dit: Je vais crier. Irène entendit: Je vais créer. Elle appuya sur le bouton déclencheur au moment où les lèvres de Cybil esquissaient un sourire à cause du *cr* de j'ai cru que créer était nécessaire.

Pendant un temps, Irène tourna autour de la romancière en faisant des gros plans de la bouche et des yeux, là où les mots passent plus facilement pour être sincères; puis en pensant que quelqu'un sur cette terre devait sûrement ressembler à Cybil, elle demanda si l'autre avait procréé au cours de sa vie. «Procréer, enfanter, accoucher, donner la vie, réponds!» Devant le mutisme de Cybil, Irène déclara être grand-mère d'une petite fille de cinq ans qui allait bientôt commencer l'école. Cybil la regarda avec étonnement. Une tendresse pacifiante s'installa entre les deux femmes. Et lentement, très lentement, elles dérivèrent en se laissant porter par l'enfance et ces petits moutons blancs que sont les années passées auprès d'une mère affectueuse et ordonnée.

Les deux Montréalaises font maintenant main basse sur tous les souvenirs qui se présentent en amont de l'âge adulte où elles étaient devenues femmes d'images et de mots.

Assises l'une en face de l'autre, elles déballent des noms de rues, de parcs et d'écoles comme de précieux cadeaux qu'elles déposent ensuite au milieu de la table afin qu'ils puissent être comptés et partagés. Dialogue intime.

Irène offre tout d'abord une image floue du parc Belmont. Comme sur les premiers daguerréotypes, il ne reste aucune trace des vivants. Toute la vie et son mouvement de manège ont disparu. Enfin, l'image se précise et cette fois-ci ça rit, ça bouge, ça crie de joie au milieu des kiosques et des jeux. Soudain, la voici la grosse mécanique de femme, la ricaneuse du parc Belmont, celle qui rit si fort et si longtemps qu'elle fait réellement peur. Toujours, elle avait fasciné la petite Irène avec son souffle en forme de cascade vive déferlant le long de sa large poitrine avec des ah absolument ahurissants incontrôlables. Un rire énorme secouait le corps plein de plis et de hi ou de ho et de gras autour des bras. Un rire gourmand qui gonflait les joues d'un vent mystérieux et lui faisait comme un organe sous la langue, un orgue minuscule dans son visage d'ogresse joyeuse. Un rire rond et gratuit offert aux enfants qui s'éloignaient en disant: «Est folle la madame» ou qui, inquiets, demandaient: «Moman, a rit-tu d'nous autres, la grosse?»

Au centre de la table, le parc Belmont scintille et les filles font trois tours de montagnes russes. Étourdie, Cybil suspend le temps, affaire de reprendre son souffle, puis elle joue la carte du parc Lafontaine. Une fois l'étang installé dans les pensées, elle invite Irène à monter dans une chaloupe verte. Assises côte à côte, les filles rament lentement à cause du bois lourd des avirons gris, mais aussi parce que le clapotis de l'eau et le soleil éveillent en elles une langueur printanière. Les reflets du soleil sur l'eau intriguent la petite Irène qui demande si on peut arrêter le temps, capter ses reflets et ceux de la lumière en même temps. En même temps que les mots cherchent à se frayer un passage parmi tout ça, lointain et si beau dans le feuillage comme un jour tranquille d'enfance.

Être là, encore là et d'un commun accord prendre l'autobus en direction du mont Royal. Là, pique-niquer sur la grande pelouse en pente d'où on aperçoit le lac des Castors et le chalet entouré de promeneurs qui vont, laisse à la main, au pas de leurs chiens. Sur le lac, colverts et cygnes naviguent au milieu des demoiselles et des gerris. Tout en avalant son sandwich, chacune ajoute de l'eau au souvenir. Bientôt, la table est remplie de petits objets: gommes à mâcher, crayons de cire, pattes de lapin à cause du bonheur dont il faut s'occuper du matin au soir si on veut grandir. En parlant des objets nombreux qui encombrent les vies humaines, les deux femmes en viennent à leurs premières lectures; elles s'enflamment tant et si bien de plaisir qu'elles décident de faire un autre tour de parc, cette fois-ci en marchant comme des adultes. Irène prend en direction du jardin du Luxembourg. Cybil choisit de longer le lac Serpentine de Hyde Park.

Irène arpente la terrasse où les reines de France montent la garde. Au fur et à mesure qu'elle avance, elle commente: déhanchement lubrique de Clémence Isaure, air *nasty* de Louise de Savoye, pose séductrice de Marguerite d'Angoulême. Valentine de Milan tient un livre dans sa main. Le pied droit d'Anne de Beaulieu dépasse de sa robe comme un petit rongeur. Je m'inquiète pour Anne d'Autriche dont la main gauche est mangée par le temps. Je suis maintenant devant sainte Clothilde et je ne bouge plus. Son visage est si beau et contemporain qu'il donne envie de lui parler d'amour et de photographie jusqu'à ce qu'elle soit comme vraie, une femme de plus sur cette terre.

À cela Cybil répond par:

— Je ne vois que feuillage et verdure, un *igrogne* qui traverse un sentier. Une femme vêtue d'un grand manteau rouge se repose dans l'herbe. Maintenant, elle regarde dans ma direction. Ses yeux sont maquillés à l'égyptienne.

Irène l'interrompt:

— Attention voici le nom des arbres que l'on trouve dans le jardin. Écoute bien, il se peut que tu veuilles t'en servir un jour comme décor. Je commence: platane à feuille d'érable, marronnier blanc, tilleul argenté, mûrier, micocoulier de Provence, ginkgo et paulownia, orme de Sibérie, cèdre de l'Atlas.

À cause du mot Atlas, Cybil fait un tour de planète. L'envie d'écrire lui vient forte, musclée comme une femme séduisante qui l'entraînerait au lit. La femme effleurerait Cybil à la hauteur de l'atlas. Elle murmurerait dans une langue étrangère des mots enflammés ouvrant la porte à mille interprétations. Sa caresse descendrait le long de l'échine en traçant des mots. En se concentrant, Cybil pourrait suivre la courbe du doigt, la pression, la vitesse avec laquelle une lettre en formerait une autre, les temps d'arrêt qui serviraient de ponctuation. La chaleur du doigt pénétrerait dans la peau: lettres gothiques, lettrines et belles italiques feraient sur la peau sens et sèmes de plaisir. Puis, l'autre appuierait tout son corps contre celui de Cybil. Seins, ventre, cuisses d'un seul soupir inonderaient le cortex. Lèvres ardentes à brides abattues sur le cou.

Parce que cela dure longtemps, Cybil a renversé sa tête sur le rebord de la chaise. Tout naturellement, la lumière fait trembler les cils en allant vers l'iris chercher son dû de couleurs et d'images. Lorsque Cybil ouvre les yeux, Irène est assise à côté d'elle. Souriante, elle observe la romancière chamboulée.

Dix-sept heures arrivèrent. Derrick Tremblay les conduisit à leurs cabines respectives. Quand vint l'heure du souper, la langue vivante s'installa autour de la table et chacun se révéla de plus en plus être spécialiste, qui de Dieu, qui de discipline, qui de science, qui du désir de l'eau et de la mer où déferle inlassablement l'espoir.

Eaux-fortes

Le lendemain. La lumière tombe dru sur les eaux-fortes qui décorent les murs. Les gravures sortent de leur anonymat, éveillent le sentiment.

De terribles vagues. Le flanc fouetté des navires dangereusement inclinés. Près de sombrer. Des hommes, leurs biceps gonflés comme de gros nerfs, roulent des yeux ronds terrorisés devant les monstrueux serpents de mer et leur écume. D'autres accrochés aux cordages, feux follets dans la masse sombre de la mer et des ténèbres, lèvent les yeux au ciel. Suspendu entre cieux et mer, un capitaine, le corps figé dans l'improbable, défie, imperturbable, la masse effrayante qui soulève son navire, sa loi, sa science.

Tourment. Mouvement. Torsion. Tumulte. Un si grand effort musculaire, séculaire. Devant la nature déchaînée, l'homme résiste mêlant son orgueil au tumulte innommable des flots. L'effroyable luit lyrique au milieu des lames d'eau frappant les *o* sinistres de bouches tordues par l'angoisse et la panique.

De grands mâts, flèches hantées de rêves, se dressent dans le désordre du vent; la libido mord à belles dents dans les ténèbres et les effets de grisés obtenus à l'encrage; et le monde apparaît comme un vaste spectacle de signes qui, selon la peur, les croyances et l'orgueil au figuré, donnent à chaque époque son esthétique.

Cybil pensait que la diversité des esthétiques était maintenant telle qu'il fallait mettre des heures de silence et d'observation pour interpréter. Il y avait trop de sensations, de savoirs. Trop de signes. Trop de la même vie au milieu des bêtes de tout acabit qui entraient dans le présent après être sorties de la mer, puis de la forêt et du désert comme de puissants symboles chargés de décorer l'imaginaire pendant que les hommes avançaient péniblement vers la ville à coups de récits et de nouveaux outils. Les peaux avaient été tatouées, tannées, les têtes couronnées, les crânes assemblés, les os travaillés pour jouer, compter, décorer et blesser. Les récits avaient transformé les femmes en masses myst*érieuses* et fertiles, puis en proies silencieuses, puis en des choses bronzées et électriques qui excitaient les passants des grandes villes. Tout ce temps, les sexes d'hommes avaient été sculptés droits dirigés vers le ciel implorant Dieu de nettoyer lui-même le sexe des femmes de toute impureté afin que les fils puissent enjamber le présent et chevaucher les étoiles. Bestiaire. Esthétique du grondement. Turf.

Dans le clair matin, Cybil passa distraitement le revers de la main sur la table. Le geste souleva une immense déferlante que l'on aurait dit tout droit sortie d'une gravure de Hokusai. La vague resta suspendue esthétique et menaçante au-dessus de Cybil. Puis, perdue et dérivant dans l'éternité recommencée des flots, la romancière roula, tourbillonna, jusqu'à ce que l'image se transforme en une eau lisse et turquoise de piscine californienne où la Sixtine l'attendait en nageant.

Ce jour-là, de mots, point, car il avait fallu calmer au fond de soi le bruit fort de la mer, le tumulte des eaux, l'effet surprenant des gravures anciennes.

Le personnage

C'était la dernière nuit avant que ne reprenne la vraie vie sur le pont. Occident l'avait promis. Pour la première fois, Cybil entendit les craquements du bateau, sentit son mouvement. Parce que sa main tremblait, elle pensa qu'une fièvre mystérieuse allait l'emporter. Dans la cabine voisine, un air de tango.

Cybil écrivit toute la nuit en parcourant les rues ensoleillées de la ville armée jusqu'aux dents. Déplacée dans l'espace et le temps, la Sixtine apparut, place San Telmo où, les yeux fermés et le vent dans les cheveux, elle joua l'un à la suite de l'autre de très anciens tangos: *Sus ojos se corraron, Volvio una noche, Silencio.* Des hommes dansent entre eux, multiplient les jeux de pieds rapides. Ils changent souvent de partenaires, la main noueuse de l'un remplaçant la paume rugueuse de l'autre. Leurs chapeaux font de l'ombre sur leurs fronts. Ils portent de larges pantalons et leurs vestes froissées se gonflent parfois d'un coup de vent en tournant. Maintenant c'est au tour des mères de danser entre elles. Irrités par les allaitements répétés, leurs seins se touchent douloureusement et à peine ont-elles dessiné quelques figures d'emportement que déjà elles n'ont plus le cœur à danser. D'autres femmes du quartier, en robes blanches du dimanche, les remplacent. On a tôt fait de les rappeler à leurs rôles d'exilées. À regret, elles cèdent leur place, cette fois-ci à des danseuses exemplaires pendant que Cybil va de ville en fiction, la Sixtine à son bras, entre les dykes, les *sills* et les pillow-lavas des grands fonds de l'Atlantique.

Toute la nuit Cybil chercha à comprendre les liens qui l'unissaient à la Sixtine, ceux qu'elle entretenait avec Irène. Le roman servait peut-être à cela: comprendre ce qui nous unit aux êtres chers imaginés avec fureur et délice comme si on allait perdre son identité, gagner en humanité, augmenter le poids charnel de l'univers.

Chaque fois, il fallait se rapprocher du personnage, partager ses inquiétudes et ses joies. Impossible de la laisser aller exempte de tourment, libre comme le vent. Son inquiétude devait être exemplaire. Il fallait lui tailler un berceau et une tombe à sa mesure. En attendant, lui trouver un appartement, arroser ses violettes au balcon de manière que les passants remarquent le bel ensemble. Il fallait l'habiller, passer sa vie au peigne fin, la sortir du pétrin, la regarder creuser son avenir au milieu des guerres et des religions. Il arrivait que le personnage accouche d'un autre personnage, celle-là nous prenant au dépourvu tant et si bien qu'on songeait à laisser faire la réalité, parfois même sa propre histoire. Devant la fenêtre, dénouant ses cheveux, ouvrant son courrier, un tiroir ou le fond de sa pensée, le personnage n'en finissait plus d'exister. Objet d'enquête, elle se laissait toucher plus facilement à partir de l'enfance parce qu'elle commençait toujours à peu près là à grandir. Alors elle pleure au milieu des superstitions et des grands surmoi savants qui planent autour en faisant leurs vautours. Il ne faut pas toucher, effleurer là où elle crie.

Personnages, déplacez ma mort, déplacez le vent, redoublez d'ardeur pour que la langue trouve appui, humble et fertile, sur vous qui jouissez d'impunité.

Le requin

Le hasard fit que la première personne que rencontra Cybil en ce premier jour de lumière, de mer et de vent fut le *padre* Sinocchio. L'homme avait troqué sa soutane pour un pantalon de lin blanc et un t-shirt noir. Ses yeux brillèrent de plaisir en voyant Cybil.

— Mademoiselle Noland! On me dit que vous écrivez un roman sur Buenos Aires. Je suis si heureux.

À quatre marches de distance, le buste légèrement penché vers Cybil, le *padre* Sinocchio donne l'impression d'être en chaire. Cybil tient la rampe d'une main, une jambe à demi pliée, le pied prêt à changer de marche. Entre les jambes du *padre*, elle aperçoit Irène et Occident discutant à fond sur le pont. Un peu plus loin, les plongeurs forment une masse trifoliée sur fond de bleu radieux. Devant eux, le docteur. Assis sur une caisse de bois, l'homme est penché au-dessus d'une table métallique. Dans sa main, il tient un scalpel que la lumière du soleil allume de mille feux. Morse. Morsure.

Cybil s'apprête à corriger d'un mot la méprise du *padre*, mais l'homme enchaîne:

— Buenos Aires, que dis-je, l'Argentine offre de magnifiques spécimens baroques, les cathédrales de Córdoba et de Buenos Aires, les églises de Santa Catalina, La Campanila. Le baroque oh! la belle mine de spectacles. Saviez-vous, mademoiselle Noland, que «l'ensemble de la pensée baroque, animé par la nostalgie du Paradis Perdu (d'Ors) hésite entre le Chaos et le Cosmos[7]?» Hyperboles, métaphores, goût de l'infini, vous ne vous ennuierez pas si vous écoutez votre cœur baroque. Vous apprendrez ainsi le rôle joué par la Compagnie de Jésus dans la diffusion de cette architecture. La Compagnie, vous savez, a donné deux célèbres architectes: Martellange et Derand. Le nombre d'églises commanditées par les jésuites est ahurissant.

À quel moment un prêtre peut-il être dit jésuite? Cybil l'imagine, torse nu, attaché à un arbre, au milieu de la forêt québécoise. Un collier de pierres brûlantes pend à son cou. Là où la pierre touche la chair, la peau se soulève, boursouflée, prête à éclater comme une identité. On entend le grésillement des mouches noires et des maringouins. À ses pieds, fougères, trèfles et mauvaises herbes bien foulées. Un brouillard enveloppe le martyr. Il réapparaît, cette fois-ci les poignets liés et retenus au-dessus de la tête par un anneau de fer. Des anneaux d'or pendent au bout de chaque mamelon. Lèvres, narines et sourcils, nombril et testicules, l'homme est percé de partout. Devant lui, une masse d'homme en partie vêtu de cuir noir. Celui-là est concentré. Mentalement, il calcule la pression que les instruments de poids devront exercer pour que la douleur s'infiltre lentement sous les aisselles, pénètre subitement les muscles et les os du thorax, dresse bien le sexe afin que son ombre gicle comme une expérience des limites où l'homme aime, dit-on, cultiver sa douleur comme un art.

D'un coup de tête, Cybil chasse l'image, mais la bouche du *padre* Sinocchio, encore et encore, fabrique des syllabes, tourne avidement de tous les tourments baroques autour de son dieu de délivrance.

Sur le pont, Occident et Irène conversent avec les plongeurs. Cybil les rejoint, soulagée d'avoir échappé à l'enthousiasme de Sinocchio et surtout à la morbidité des images qu'il avait éveillées. Vêtu de blanc, mal rasé, Thomas Lemieux s'apprête à ouvrir le ventre d'un petit requin blanc, frais pêché, frais mort, gueule tout en dents de prière. Lemieux dévisage Cybil. Une goutte de sueur tombe dans l'œil du requin.

«La main qui tient le scalpel doit toujours exciter l'imagination. On dit que le squale est indestructible. Brutal, avide, sanguinaire et prédateur. Michelet l'appelait *le beau mangeur de la nature, mangeur patenté*. Aussi le compare-t-on souvent à l'homme peu importe qu'il soit bleu, blanc, gris ou tigré. Prompt devant la chair, la gueule souvent rougie du sang de ses victimes, le requin fascine.»

Lemieux tranche et poursuit: «*Tout savant est un peu cadavre*, disait Victor Hugo. Disséquer est une activité de l'esprit au même titre que la philosophie ou que la critique. Étudiant, j'aimais l'odeur de l'éther, les longues séances où, penché au-dessus des cadavres, j'apprenais à plonger soigneusement mes instruments dans ces espaces que, selon son humeur, le professeur nommait gouffres d'agitation, douces cavités, canaux vertigineux, gorges fatales, abysses de résistance. Pendant longtemps, je me suis laissé bercer par la voix de cet homme. Il n'était guère plus âgé que mes camarades. Dans ses yeux vifs et tourmentés, je me retrouvais; je pouvais m'instruire de l'histoire, dialoguer avec la mort, me rapprocher de la souffrance. Le professeur jugeait tous les cadavres en fonction de la fermeté ou de la mollesse du ventre. La différence se mesurait là. Il ne faisait aucune distinction entre les sexes ou les races. Pour lui, il y avait du ventre et du non-ventre. Il n'utilisait pas d'antonyme. Le visage et le sexe des cadavres étaient toujours couverts d'un drap. "Le ventre est le ventre, disait-il. Le visage et le sexe sont des non-ventres. Rien de mieux qu'un ventre ouvert pour

observer l'effondrement des savoirs. Pour diagnosti-
quer, il faut cependant savoir tenir son instrument, al-
lier la pudeur et l'audace, bien palper les obstacles.
Comme il est facile de confondre les viscères de merde
avec les racines fortes et odorantes qui aident à relever
les grands défis de vie, il est préférable avant la première entaille de bien humer l'humain d'un œil
humide."»

Tout en parlant, le docteur sectionne, gratte, tri-
cote dans la matière, soulève tout tissu comme question. La lumière est vive. L'air salin fait craquer les
lèvres. L'ombre des spectateurs bouge constamment
au-dessus du requin qui a un air d'ange chauve-souris
avec sa peau fixée par deux clous de chaque côté du
corps.

«Enfant, je voulais devenir médecin. Je pensais
contribuer à la science en découvrant d'où viennent les
enfants. Un jour, j'entendis ma mère annoncer à mon
père qu'elle attendait un enfant. Pourquoi donc attendre? Cinq mois plus tard, elle déclara "il bouge" comme
on dit il pleut, il neige. Son ventre grossissait. Ses
jambes enflaient. Elle allait voir le médecin et revenait
en disant: "Il m'a examinée." À tout jamais, les verbes
voir et examiner se sont enchevêtrés dans mon esprit
comme les serpents symboles de ma profession. Ma
mère accoucha de triplets», dit Thomas en plongeant
un doigt dans la masse sanguinolente des organes pour
en détacher le cœur. «Des triplets», répéta-t-il, riant à
gorge déployée.

Les sourires amusés et curieux des matelots se
transforment en rictus alarmés. Gêne, dégoût, les visages se ferment. Les lèvres craquent. Occident respire
bruyamment. Irène se tient droite, les deux bras en-
tourant sa poitrine comme une camisole de force. Plus
loin, isolé du groupe, accoudé au bastingage, Derrick
Tremblay fixe le soleil et la mer.

Le docteur est intarissable. Tout le temps qu'il parle, Cybil pense: «On ne peut tout à la fois agir, raconter et réfléchir. Cet homme est d'un autre siècle.» Troublée par le ruissellement des paroles de l'homme, l'écoulement du sang autour du requin et le long de la main qui tranche sciemment, Cybil ne parvient pas à nommer le sentiment qu'elle éprouve pour Lemieux autrement qu'en le qualifiant d'humaniste, hésitant entre le sens fort et le sens niais du terme. Alors, ils défilent devant elle: l'œil fuyant de Jean-Paul Sartre, les cheveux gris bien lisses de Georges Bataille, le nez busqué d'André Breton, le visage dément d'Antonin Artaud, le crâne, le crâne de Michel Foucault. Puis, elle pensa que Thomas Lemieux, somme toute, était un homme simple comme le docteur Aubon qui soignait sa mère. Comme tant d'autres, il avait appris par cœur ce qu'il fallait pour regarder à longueur de journée des dents, des estomacs, des cons, des vertèbres, des cornées.

Thomas Lemieux lui semblait réel au point de mériter le titre de personnage. Son arrogance, son mal de vivre auquel Cybil associait une douleur plus grande que celle de l'individu aux sourcils broussailleux tétant sa pipe, tout cela lui conférait le titre de personnage. Quiconque adapte sa douleur à la passion de vivre a déjà un pied dans la fiction. Quiconque trace le chemin des pensées et du désir doit rester vivant.

À quoi décide-t-on qu'un homme mérite d'entrer dans le royaume de la fiction? Faut-il d'abord imaginer l'enfant qu'il fut (le petit garçon pédale avec toute l'énergie de ses cinq ans sur le trottoir jaspé de calcium et du sable brun de l'hiver. L'enfant se parle. Tout seul comme un vieux, un fou. Les mots sortent de sa petite bouche rose. Il les sème à tout vent dans la chaleur du printemps précoce. Depuis deux ans, il sait comment jouer avec les mots. Il sait qu'on peut les mettre dans de grandes valises et partir ensuite au bout du monde faire enquête sur ces femmes mystérieuses que l'on appelle mamans) ou l'affubler d'une sensibilité si excessive qu'un rien le propulse hors du commun des mortels? Comment sculpter dans la singularité de *chakun* la forme exemplaire du lieu commun où chacun peut se reconnaître et s'inquiéter à satiété de la morale ambiante?

Cybil se tourne vers Irène en quête d'une réponse comme si l'autre pouvait l'aider à comprendre la nature du personnage. Soudain, la certitude lui vient: il ne fallait pas transformer Irène en personnage. Elle perdrait alors tout son pouvoir de vie et de création. Irène devait rester vivante, charnelle, accessible. Quant à Occident, Cybil ne savait plus quoi penser. «Surréaliste», avait dit Jasmine. Tout d'elle était si mystérieux et paradoxalement ouvert comme ces paysages de plaine désertique menant aux routes ténébreuses des cordillères.

«La valeur, poursuivait Lemieux, que l'on accorde au corps est relative. Vivant ou mort, le corps vaut son pesant de négoce. Les guerres sont terribles parce qu'on laisse pourrir les corps alors que la science en a un urgent besoin. Un corps mort, ça se ramasse, ça se négocie.»

Il retire le cerveau. «Voyez, c'est tout. Une masse ridicule, de l'électricité, un programme. Vous ajoutez des dents, quelques adjectifs et vous comparez avec l'homme. Selon l'usage que vous faites des adjectifs, vous faites la morale ou vous inventez de toutes pièces une histoire à rouler les yeux de frayeur. L'homme n'a de secrets que ceux qu'il porte en lui, tout petits greffés comme une taille d'enfant sur son énorme prétention.»

Le docteur s'essuie le front, voit sa main tachée de sang. Il veut reprendre son monologue, mais sa voix se transforme, s'enroue à ce point qu'il soulève un bras au-dessus de sa tête pour signifier c'est fini, que l'on nettoie le tout. Des matelots s'affairent. Le tout est rendu à la mer. Occident s'éloigne entourée des artistes.

À ses hôtes elle suggère de bien profiter du ciel et de la lumière. «Ce soir, il y aura projection de films pornographiques. C'est la coutume. Une séance à mi-temps de la mission, une autre la veille du retour. Il est dans la tradition que j'assiste à la première séance. Je vous demande d'en faire autant par solidarité. Il va sans dire que le *padre* est exempté. La projection aura lieu dans la bibliothèque, après le dîner. Vous verrez ce n'est pas bien terrible. Plutôt élémentaire. Génital. Gros plan. Essoufflement. Ramonage. À moins que vous ne teniez l'hétérosexualité comme insoutenable en soi, je vous assure qu'il n'y a rien qui puisse vous offenser. Quant à demain et aux jours qui suivront, vous n'allez pas vous ennuyer. Pascal, Flash et Philippe vous conseilleront.»

La porno

Pour la première fois, Cybil voyait la bibliothèque sous un éclairage artificiel. Quatre néons déversaient une lumière crue sur une trentaine d'hommes assis droits et patients sur des chaises bancales. La table à cartes avait disparu. L'écran voilait le hublot.

Cybil s'assied dans la dernière rangée, entre Irène et Occident. Un peu plus loin, le capitaine et le docteur, l'air faussement blasé, échangent quelques mots à voix basse.

La bibliothèque est soudainement plongée dans l'obscurité. En noir et en blanc, un avertissement: CE FILM A ÉTÉ RÉALISÉ AVANT L'ÉPIDÉMIE DU SIDA. VOUS DEVEZ TOUJOURS METTRE UN CONDOM AVANT PÉNÉTRATION. Un matelot québécois traduit en c/riant: «Veuillez pénétrer en capotant.» Bruits de chaises, gros rires, musique, couleurs.

Un facteur distribue le courrier dans une ville de banlieue nord-américaine. Il croise des résidants qu'il salue d'un air bonhomme. Il se dirige vers un bungalow. Derrière la maison, assise au bord d'une piscine, une femme en maillot de bain feuillette une revue de mode. Le visage du facteur surgit derrière la petite clôture de fer forgé qui bloque l'accès au jardin. Il montre un colis. La femme se lève, ouvre la porte. Le facteur sort un Bic de sa poche. La femme se dirige vers la table

de jardin afin de prendre appui pour signer le formu-
laire d'usage. Elle trébuche sur un boyau d'arrosage,
tombe à l'eau, patauge avec des petits cris de frayeur.
Enfin, le facteur dépose son sac, se penche vers elle en
lui tendant les mains. Les seins de la femme débordent
du maillot comme deux bouées de sauvetage. Elle tend
les bras vers l'homme. Le facteur l'aide à sortir de l'eau.
Elle se retrouve collée à lui, ruisselante, frétillante
comme une truite saumonée. Le costume de l'homme
est trempé. La femme s'excuse. L'homme pénètre dans
la maison. Il enlève sa chemise pendant que la femme
cherche à l'essuyer. La femme et l'homme se rapprochent en s'excusant mutuellement. Les mains de
l'homme vont tout droit vers les seins énormes, roses et
mouillés de la femme. Les mains de l'homme massent
les boules charnues. La bouche de l'homme suce
goulûment les mamelons. Les seins de la femme et la
langue de l'homme occupent tout l'écran. L'image
saute. La femme enlève le pantalon de l'homme. Elle
masse, polit, essuie, on ne sait, les cuisses de l'homme.
Le membre de l'homme frôle la joue de la femme. La
femme prend l'objet, le lèche comme pour mieux l'arrondir, puis l'avale tout rond entre ses lèvres rouges qui
ne perdent jamais leur éclat. L'objet refait surface pour
disparaître aussi vite dans la gorge de la femme qui
cherche maintenant son souffle. Les doigts fins, les
ongles peints en rouge de la femme et les testicules de
l'homme occupent tout l'écran. Le visage de la femme
réapparaît, la bouche gonflée à bloc par le membre de
l'homme. À la commissure des lèvres, un cheveu
dépasse qui gêne la concentration de la femme. Elle
retire la chose de sa bouche. L'image saute. On voit le
cul de la femme agenouillée. L'homme furète, savant
comme un chien. Puis il y a confusion des jambes, des
poils et des fesses. Le vit va-et-vient dans le sexe qui a
l'air liquide de la femme. La séquence se termine par

une abondante coulée de sperme qui du nord au sud de l'image inonde tout sur son passage.

On sonne à la porte. Arrive une voisine vêtue d'un tailleur Saint-Laurent et portant des lunettes à monture verte qui lui donnent un air de raton laveur. Elle apporte un *shortcake* aux fraises, complimente la maîtresse de maison sur son déshabillé. La femme numéro un offre une tasse de thé. Les deux femmes bavardent pendant que l'eau bout. La femme numéro deux regarde la femme numéro un en se passant la langue sur les lèvres. Elle garde toujours la bouche entr'ouverte comme Isabelle Adjani dans le rôle de Camille Claudel. La voisine tâte tant et si bien le déshabillé de la première femme qu'elle finit par l'entr'ouvrir en s'émerveillant du volume des seins. Les deux femmes se regardent. La femme numéro un défait lentement les boutons dorés du tailleur. Les deux femmes se jaugent dans un grand miroir en tenant leur poitrine comme des offrandes chics. Du fond du corridor, l'homme se pointe.

Cybil se demande quel effet auraient les mêmes scènes si elles étaient écrites. De quoi les mots cul, vagin, pénis, vulve, couilles auraient-ils l'air entassés les uns sur les autres? Comment se figurer la tournure des *choses* et les conséquences qu'il faudrait en tirer une fois celles-ci insérées dans la langue comme des relais imaginaires? Les mots l'exciteraient-ils? De l'angle des sexes grossis, qui serait qui hypergras de représentation, la langue et le cul branchés à autrui?

Pendant que l'homme se fait sucer par la femme numéro deux qui passe le bâton à la femme numéro un qui bientôt le relaie à la femme numéro deux, Cybil fait signe à Irène de la suivre avant que la lumière soit. Irène proteste, chuchote qu'elle attend la fin. Cybil choisit de patienter. Le deuxième film commence. Cette fois-ci, l'histoire se passe dans une station balnéaire. Deux couples jouent aux cartes sous un parasol.

Devant elle, Cybil observe la tête des hommes pour le moment statiques: cheveux lisses, un crâne rasé, deux têtes chaûves, des casquettes de base-ball et de marin, une queue de cheval. Autour des spectateurs, les livres forment une masse d'encre silencieuse. Ici et là, une reliure en blanc sollicite le regard. La bibliothèque vacille au gré des vagues répétées de la bande sonore. Galère d'hommes, monde étrange de ma solitude.

La séance est terminée. Bruit de chaises pliées, toussotements, déclics des briquets qui font feu. Odeur de cigarettes. Les hommes défilent emportant leur chaise sous le bras. Nombreux sont les sourires entendus au milieu des «bonne nuit, *buenas noches*», feu d'artifices et d'intonations.

Cybil entraîne Irène vers sa chambre d'un «viens» bien sonné. La cabine est petite, le lit encombré par les pages de son roman. Irène les ramasse une à une, les dépose sur la table, se ravise et demande en mettant ses lunettes si elle peut lire.

— Les choses simples m'épuisent, répond Cybil en sortant d'un tiroir une bouteille de porto et deux verres de plastique.

— Rien n'est jamais simple. Une seule métaphore et adieu nature. Le moindre rapprochement entre deux objets de nature différente mais ressemblante crée en croissance exponentielle matière à réflexion, dit Irène en prenant ce ton, cet accent étranger que Cybil avait entendu, l'automne dernier, à la galerie Dazibao. Comparer stimule l'ambition, l'envie, le désir et, je l'ai déjà dit, la réflexion qui permet de passer à l'action, c'est-à-dire de niveler l'écart entre les objets, les êtres; ou de l'accroître tant et si bien qu'il n'y a plus lieu de comparer. La vie est un nœud mouvant de comparaisons utiles et de métaphores trompeuses, d'où cette capacité que nous avons de faire bouger le sens des mots à notre avantage.

Mis à part «rien n'est jamais simple», Cybil ne comprenait pas très bien où Irène voulait en venir. Elle versa le porto. La bouche d'Adjani s'ouvrit comme un rideau de scène. Camille Claudel respirait bruyamment dans un taudis quelque part dans Paris inondé.

La Seine formait un lac, bien sûr, un miroir d'où surgissaient de belles truites dont les bonds rose et argent transformaient le ciel bas en ciel d'aube majestueux.

— En art, dit Irène, je veux dire devant une œuvre littéraire ou picturale, la tentation est toujours grande de comparer à la réalité, c'est-à-dire de réassigner dans le réel la portée énigmatique de l'œuvre.

— Oui, répondit Cybil en se déshabillant.

Les frères Demers

Ils venaient de Matane. Très tôt dans leur vie, la lumière de la mer leur était apparue si grandiose que chacun avait vécu dans son aura en pensant un jour parvenir à comprendre ses mystères.

Le jour de l'enterrement de leur père, ils s'étaient enivrés dans un bar de danseuses nues. Là, chacun avait pris la décision de partir. Pascal alla étudier en informatique à l'Université Laval. Robert alias Flash se dirigea vers Montréal où, après avoir travaillé six mois chez Radio Shack et deux ans chez Crazy Irving, il ouvrit son propre commerce de caméras et d'ordinateurs. Philippe s'engagea comme matelot à bord du bateau-mission de l'Institut d'océanographie de Vancouver. À Québec, Pascal rencontra une jeune Martiniquaise qu'il ne tarda pas à épouser. Au fil des années, les frères prirent l'habitude de se retrouver dans les Antilles où ils devinrent d'habiles plongeurs, amoureux de ce bleu qui lave les yeux de toute la détresse humaine.

Dix ans plus tard, leur mère mourut. Après la mise en bière, le *De Profundis* et le cimetière, les frères s'étaient longuement attardés dans un terrain vague à se retrouver. Les larmes aux yeux, la mâchoire serrée, les cheveux dans le vent, ils avaient convenu de réunir leurs connaissances et de proposer à l'institut Maurice-Lamontagne la création d'un programme de réalité virtuelle simulant différentes méthodes de plongée sous-marine. Après trois ans de négociations, on leur avait confié la réalisation du projet.

Pour la première séance de travail avec les artistes, les frères Demers avaient eu l'idée d'une conversation à bâtons rompus durant laquelle ils se seraient racontés, histoire de créer un climat de confiance.

Sur le pont, les plongeurs et les artistes sont assis en cercle sur des caisses de bois. Les gros mollets de Pascal, les espadrilles «branchées» de Flash, les «running» de Philippe, les sandales de Cybil et les pieds nus d'Irène forment des points de repère sur le sol. Sur les épaules de chacun, le bleu pur de l'azur. Un peu plus loin, des matelots s'affairent avec des gestes de ménagère avant l'avènement de l'électricité.

PHILIPPE

Au début tout est bleu. Vertigineusement bleu. Peu à peu les yeux s'habituent, mais ils restent profondément marqués par la fascination première. Le corps, vous verrez, le corps c'est comme si le corps réorganisait les pensées afin qu'elles s'imbriquent naturellement les unes dans les autres. Le corps devient pure sensation avec des gros plans de bien-être qui défilent comme des bancs de poissons magiques. Inutile de penser à l'abîme. Il entre en nous, somme d'émotions impossible à chiffrer. L'important, c'est la profondeur. Descendre.

PASCAL

Je crois que, dans un premier temps, il serait bon de rappeler le nom des engins qui ont servi à descendre toujours un peu plus bas: tuba, outre gonflée, masque, bombonne, scaphandre; lanterne aquatique, cage, cloche, bathysphère, bathyscaphe, soucoupe plongeante comme *Denise* et merveille des merveilles *Le Nautile*. Sans la chasse aux trésors et la chasse au record, nous ignorerions encore les entrailles de cet abîme inouï que fut la mer.

FLASH

Voir, voir toujours plus et mieux. Sans la caméra, sans l'écran, nous serions comme ces maniaques des mots qui tiennent pour preuve de la vie sous-marine leurs seules sensations. À peine sortis de l'eau, ils se plongent dans la rédaction de leurs mémoires. Impossible de se fier à ces quelques hommes qui ont vécu sous la jupe de la mer. Je conviens que parfois c'est beau, mais la preuve est faite que tous ceux qui ont regardé la réalité par en dessous l'ont modifiée en l'enfouissant sous des tonnes de métaphores qui ne font que renforcer les superstitions contre lesquelles nous nous butons depuis Noé. Je préfère de beaucoup me fier aux huit cents diapositives que chacune des caméras du *Nautile* peut réaliser à chaque incursion dans la nuit bathypélagique.

PHILIPPE

La peur, Flash, tu oublies la peur, le sentiment d'étouffement, l'urgence de compter le nombre de ses doigts pour être certain qu'on ne va pas sombrer dans la narcose. La peur, Flash, comment peux-tu oublier que ce n'est pas une image, que ce ne sera jamais une image, cette chose qui est notre corps inquiet au milieu de ce qu'il y a de plus vaste.

Pascal

Papa disait toujours qu'un homme ne doit jamais avoir peur tout en vivant comme s'il était constamment menacé; de sorte qu'il apprend ainsi à se maîtriser. Il faut à tout prix éviter le cri de l'homme apeuré.

Flash

Pourquoi se mouiller puisque nous pouvons tout connaître à distance, nous approprier les mondes les plus inaccessibles, nous initier à des tâches éprouvantes sans avoir à payer corps comptant de frayeur? Vous, les artistes, vous ne vous rendez pas compte de la chance que vous avez de travailler avec nous.

Pascal

Attention. Il ne faut pas tout confondre. Excusez-nous, nous parlons parfois en confondant les sensations fortes que procure la mer, ce que nos yeux ont vu derrière la caméra et ce que nous ressentons en milieu virtuel. Il faut parfois s'inquiéter de cette confusion, mais comme vous n'êtes jamais descendues, vraiment, vous ne risquez rien. Comme vous le constaterez, les accessoires sont relativement faciles à manier. Très vite, vous vous sentirez à l'aise avec le *Dynamic Wrist,* le *Dexterous HandMaster* et le *joystick.*

Irène

Vous croyez?

PHILIPPE

L'important, c'est la capacité d'émerveillement.

FLASH

Plus vous accepterez de jouer avec votre identité, plus vous gagnerez en sensations. *You become what you feel* au fur et à mesure de la plongée.

PHILIPPE

Les sensations les plus fortes, je les ai éprouvées dans la chambre de ma mère.

PASCAL

Oui! Imaginez-vous que Philippe a créé un programme qui permet de s'introduire dans la chambre de notre mère. Telle qu'elle l'avait aménagée après la mort de papa. Nous nous en servons régulièrement. C'est comme un petit sanctuaire. On entre dans la chambre et, selon la programmation, maman dort, maman se maquille, maman change de robe, maman regarde par la fenêtre. Nous, on peut l'embrasser, s'asseoir sur le bord du lit pour lui prendre la main, tirer les rideaux, épousseter les cadres et les bibelots, l'aider avec la fermeture éclair de ses robes ou un bijou, lui apporter une tasse de thé. C'est très émouvant, vous savez.

PHILIPPE

Chaque fois que j'entre dans la chambre de maman, le présent égale la mémoire.

PASCAL

On appelle *dataglove* ce qui permet de toucher et d'être touché. En français, on dit parfois «main symbolique». C'est entre autres grâce à cette main que pendant cinq jours vous pourrez écarter ces bancs de poissons qui forment de véritables rideaux, caresser les dauphins, tâter dans la lumière approximative les formes de vie les plus inusitées. Le toucher virtuel stimule l'imagination. Dans mon cas, il décuple mon énergie.

FLASH

Le visiocasque est la première source d'information pour circuler dans un environnement virtuel. Notre modèle permet un champ de vision de 50 degrés sur l'axe horizontal et de 70 sur l'axe vertical.

PHILIPPE

Ce n'est pas la peine de donner tous ces détails. L'important c'est l'amour du lieu. Que la première plongée éloigne à tout jamais l'idée de la mort.

Le soleil tape fort. Sensation de vertige. Pascal prononce profondeur. Le double temps rattrape Cybil. Le mot résonne, heurte, elle ne sait trop quoi, comme lorsqu'on touche le fond avec les rames en se rapprochant de la rive.

«Profondeur» tremble de ses trois syllabes dans l'air étouffant, oscille à l'horizontale comme sur un écran de télévision, puis se stabilise à la surface des sens, irradie en profondeur. Profondeur, c'est un mot, mais déjà il se transforme en espace: une chambre

d'hôtel avec un lit *queen size*, deux tables de chevet, une
chaise, un fauteuil, une coiffeuse, un téléviseur. La
fenêtre donne sur un escalier de secours. Les rideaux
sont tirés et malgré le mauvais éclairage, on distingue
bien leur motif en forme de coquillages. Cybil pénètre
dans la chambre, dépose la clé sur une table de chevet.
Une telle sensation de présent.

elle *LARÉALITÉVIRTUELLE*LARÉALITÉVIRTUELLE *laréalité*virtuelle *LARÉALITÉVIRTUELLE*

elle *LARÉALITÉVIRTUELLE*LARÉALITÉVIRTUELLE *laréalité*virtuelle *LARÉALITÉVIRTUELLE*

La réalité se superposa à la réalité. Le bleu avait en effet quelque chose de vertigineux, attirant, qui ne demandait qu'à être traversé. Des coraux surgissaient, roses éclatées, au bout des doigts. J'apprenais à flotter dignement en suivant le courant, à lui résister en faisant des pieds et des mains pour contourner des obstacles majeurs et miroitants. Fascinée qu'autant d'arabesques assurent mon équilibre dans le bleu prodigue, j'allais admirablement vers le fond, portée par une euphorie qui ne s'apparentait à aucun état qu'il m'avait été donné de ressentir jusqu'à ce jour. Fluidité des gestes. Un courant de bonheur et la peau respire à même la caresse de l'eau. Bien vite, je me retrouvai dans une forêt de kelps, d'abord curieuse et fascinée, puis soucieuse d'éviter les frondes de varech qui pouvaient se refermer sur moi comme un piège inextricable.

Aucune notion du temps. Rien d'autre qu'un espace ouvert aux impressions. Être, matière vivante bouffée par l'inconnu. Un vacillement des sens au milieu de nouveaux sens qui, entre les vaisseaux sanguins, canalisent l'énergie vers des sources neuves d'énergie.

Au milieu d'une solitude exemplaire, un moi lent et horizontal dans un rêve d'eau qui ajoute à la folie du rêve.

L'eau qui avait englouti les larmes et les corps de milliers de noyées, cette même eau dans sa profondeur irréelle, me laissait faire l'éponge. J'épongeais la sueur, les larmes, tous les liquides déposés au creux de l'abîme par la pensée dangereuse qui avait contraint tant de femmes à se jeter vives là, ou tantôt happées, attirées, découragées de ce que la terre ferme ne tienne en rien parole de vie.

J'étais hors contexte, tout à la fois rapprochée du sens et à distance de ce qui meurtrit les sens. J'étais une chose flottante, animale et fabuleuse, pleine de bons sentiments.

Tout observer. Impossible toutefois de garder mon attention plus d'une seconde sur la même créature, le même corail. Ou l'objet entrait dans mon silence et prenait des proportions telles que je me laissais griser par sa matière porteuse d'anecdotes et d'histoires ou il filait me laissant seule au milieu d'une explosion de fragments visuels que je ne parvenais justement pas à visualiser, à contextualiser.

Soudain, j'eus soif. Une soif incommensurable qui augmentait au fur et à mesure que mon œil faisait synthèse du présent.

J'étais, je n'étais que présent, illusion de parfait présent, depourvue d'histoire et de toute attache. Immobilisée dans un présent que toute ma vie j'avais proclamé être essentiel pour honorer l'intelligence des sens. Maintenant, il y avait trop de présent. J'arrachai le visiocasque et les gants, épuisée, frémissante.

Philippe me tendit un verre d'eau. À mes côtés, Irène faisait de petits gestes. Je voyais son menton, ses joues qui bougeaient sans arrêt animées par une vie riche et mouvementée, jouée là-bas dans ses yeux devenus écrans.

— —

Le soir, malgré la fatigue, je me précipitai sur mon manuscrit comme s'il y avait là une solution qui puisse faire échec au double temps. Comme si entrer dans la fiction était la seule manière de revenir à la réalité. Phénomène étrange: les phrases au lieu de se suivre, linéaires et dociles, se superposaient les unes aux autres, inquiétantes et transparentes comme une volonté de surface où le sens ne risquait pas de faire mal. D'un côté, la docilité, de l'autre, la superficialité. Échec et mat du sens. Le présent s'éternisait.

Un monde se théâtralisait en moi. Des personnages remplissaient l'univers de leur supériorité d'être parlant. Je voulus reprendre le dialogue amorcé entre la Sixtine et Cybil Noland, mais il y avait déjà trop de corps entre elles. Je pensai un instant qu'il me faudrait prendre place entre elles. Prendre la place de l'une, me mettre à la place de l'autre comme le font parfois les philosophes pour mieux par*être* en cette fin de siècle où, de posture en posture, comme d'autres de ville en ville, ils vont dégageant une odeur d'autrui dont ils s'enduisent, prenant par la suite bien soin de mouiller leurs lèvres d'un vigoureux coup de langue.

Le sommeil vint.

Et le rêve. Boulevard René-Lévesque, je marche sous un ciel adéquat. Devant la cathédrale Marie-Reine-du-Monde, des cars de touristes, mastodontes gris. Sur le porche, des hommes émaciés tendent des casquettes de base-ball comme d'autres la main pour la charité. J'entre. Je m'avance dans l'allée centrale. De chaque côté, de grands tableaux attirent mon attention. Des Indiens aux cheveux longs, des soldats français, des femmes nommées Jeanne Mance, Marguerite Bourgeois, mère d'Youville. Un hôpital brûle, des Indiens avironnent. Leur canot risque à tout moment d'être emporté par les eaux orageuses. Dans l'arcade gauche du transept, une toile m'intrigue. Je m'approche. Un titre: *Le martyre des pères jésuites J. de Brébeuf et G. Lalemant au pays des Hurons 1649.* Des Indiens sont assis autour d'un feu de bois. Au milieu, je reconnais le *padre* Sinocchio. Le torse nu, les mains ligotées à un piquet de bois, il implore le ciel. À son cou, un collier de pierres incandescentes taillées en forme de hache à pierre polie. Refoulé à l'arrière-plan, un autre jésuite est victime des lois de la perspective. Nulle part sur les visages, il n'y a trace de douleur, de haine ou de cruauté. Sinocchio est concentré, le regard patient vers le ciel. Les Indiens ont l'air paisible et pacifique de qui profite des premiers jours de printemps. Je regagne à la nage la sortie qui donne sur l'hôtel Reine Elizabeth. De là, je monte dans une calèche sans faire d'histoire. À l'avant de la voiture, un petit cylindre de métal, sorte de vase longiligne contenant un fouet et un fanion du Québec. La cochère sourit: «Tous les peuples ont au moins un drapeau.» Nous roulons dans le Vieux-Montréal et la cochère annonce Pointe-à-Callière en parlant de strates, d'archéologie, de langues et de cultures superposées. Dans le port, je remarque un porte-conteneurs nommé RIMOUSKI. Le cheval urbain trottine entre les voitures et les camions. À un feu rouge, il se transforme en animal mythique échappé de grottes lointaines. Encore il change, trotte dans la forêt de Sherwood, canons, boulets et couronnes frôlant l'herbe haute le long du sentier, puis il fait sa bête de sommeil plantée au milieu d'un champ de millet. Un tartan traverse au grand galop une plaine désertique. Amazone, tu rêves.

— —

Le lendemain, à peine éveillée, je cherchai Occident afin de lui confier mon inquiétude à propos de l'album. Du futur et de l'album. Je me retrouvai bredouille sur le pont. Petit coup de vent sur les joues. Beauté, bonheur de beauté du jour et de la mer. À cinquante mètres, Thomas Lemieux se tenait droit, les yeux plongés dans le lointain lumineux du matin. Il tambourinait sur la rampe, à coups secs d'index, orgie de tacs tacs que le vent portait dans ma direction. Le visage offert au soleil, les paupières closes, la bouche ronde pleine de mimiques et de contorsions, Lemieux chuchotait puis gonflait sa voix en jappant comme un rocker des oui, non, *yes, vibrato* des index, mélodie. *Beat.* Silence. Il avalait lentement chaque seconde du vent, s'immobilisait jusqu'à ce que tac et ratata, petits coups des hanches, les sons giclent à nouveau du fin fond de gorge abîmée: «*If you see the wonder... I have a dream... I believe in angels*[8].»

Comme s'il avait humé ma présence, Lemieux se tourna vers moi au moment où, gênée de le voir si ou ainsi abandonné à la beauté du jour, je m'apprêtais à faire demi-tour. Nos regards se croisèrent. Personnage.

Flash me cherchait. D'un air viril, il regarda sa montre: «Dépêchons. Aujourd'hui, sensations fortes.» Quelques minutes plus tard, branchée et masquée, je plongeais dans un nouveau monde. Un paysage sombre. De hauts rochers en forme de cheminée crachent une eau noire, très noire. À la base de la cheminée, une colonie de vers rouges prenant racine à l'intérieur de grands tubes blancs. Tout autour, des poissons blancs, des crabes galatées, des clams, de petits poulpes. Je regarde, incrédule et méfiante. Des secousses. Des éboulis. L'impression d'être emportée comme un grain de sable, une vulgaire poussière au milieu de puissances formidables. Je ne connais pas ce que je vois, je suis incapable d'imaginer ce que je vois. Je répète les quelques mots prononcés par Flash avant la session: *gja* très profond, fumeurs noirs, diffuseurs blancs. *Zoarcidæ, Serpulidæ.* Maintenant, je longe un mur obscur, un mur de silence dangereux, solide comme un miroir de faille. Je longe un mur de silence. Tout tremble en moi.

Au dîner, la sensation du double temps fut dévas-
tatrice. Comme si nous nous étions donné le mot, nous
étions tous vêtus de noir, sauf Occident qui portait une
veste turquoise et dont les yeux étaient, ce soir, d'une
mélancolie sans pareille.

Depuis quelques jours, Irène ne participait plus à
la conversation, gardant son oralité de «visuelle» pour
les affinités lyrico-techno-numériques qu'elle partageait
avec Flash. Occident interrompait de moins en moins
les hommes. Pour ma part, je m'enfermais dans un
silence qui, au fur et à mesure que je m'y enfonçais,
ruinait en moi tout espoir de sociabilité. Thomas
Lemieux n'aimait pas notre silence. Il y voyait complot,
reproche, rejet, je ne sais quoi. Dans chacune de ses
phrases, il dessinait des portes qu'il laissait entrouvertes. Pour nous. Il tendait la main, constamment une
perche. Aussi, ce soir, le potage à peine avalé, avait-il
lancé comme une paire de dés au milieu de la table:
«La morale, parlons de la morale des femmes.» Cinq
secondes, dix secondes s'étaient écoulées. Lemieux
épiait le moindre changement sur nos visages. Un
soupir, un froncement des sourcils l'auraient rassuré.
Peine perdue. Irène jouait avec sa boucle d'oreille
gauche. J'étudiais attentivement la couleur du vin dans
mon verre. Occident cherchait son souffle. Lemieux
nous regardait l'une après l'autre. Malheureux comme
une pierre, il finit par dire: «Mais. Aujourd'hui.
Puisque la morale est divisée en autant d'individus qu'il
en faut pour rentabiliser la société, puisque le moraliste
est un lobbyiste affairé, puisqu'on blanchit le mal
comme la mafia blanchit son argent, puisque la morale
est une monnaie d'échange respectable et médiatique,
est-il encore possible de s'indigner ailleurs qu'entre les
quatre murs de son chez-soi-moi?» Rêver, s'indigner
collectivement. Il avait raison. Plus personne ne le faisait. Certes, il y avait des modes, des événements autour

desquels les gens se ralliaient par curiosité. L'instinct grégaire n'avait pas été touché. Chacun suivait. Mais, en effet, pas de foule. Je devais avoir l'air songeuse. Ne sachant trop s'il avait fait mouche, Lemieux s'adressa à moi: «Cybil, oui, je sais. Vous me prenez pour un illuminé. Le docteur a beau jeu, a bon dos. Il a fait vœu de se rapprocher de la douleur; sa connaissance de l'homme, du corps et de la mort est une valeur sûre. Vos petits clichés d'auteur*e*, je les connais.»

Il se calma: «C'est pourtant simple. Je vous demande si vous croyez que les femmes ont encore la faculté de s'indigner collectivement de leur malheur?» Malheur, il avait dit malheur comme s'il s'était agi du hasard, d'un accident de parcours. Une *bad luck*. Il poursuivit, cette fois-ci parfaitement odieux: «Faut-il faire un lien entre la morale des femmes et la business de l'espoir?» Il nous regardait intensément, faisant fi de l'air ennuyé de Carlos Loïc Nadeau et de l'agitation qui s'était emparée du *padre* Sinocchio. Il appelait «business de l'espoir» ce phénomène récent qui, pour une personne éprouvée, le plus souvent une femme, par la mort violente disons d'une fille, consistait à se refaire une vie au milieu des pétitions, des conférences de presse et des témoignages publics. «Remarquez, tout cela s'explique, car sans colère collective, c'est chacun pour soi avec ses avocats et la presse pour qui le drame personnalisé a saveur rentable. Oui, vous avez gagné, mesdames: la politique est désormais une terrible affaire de vie privée.»

Ce soir-là, en entrant dans ma cabine, je me sentis possédée par une envie irrésistible de détails. Un désordre caché gouvernait mes pensées, m'obligeait à faire alterner la réalité, le rêve et l'autre réalité dite virtuelle mais participant désormais du réel. J'avais recommencé

à rêver comme l'an dernier après avoir reçu les premières lettres d'Occident. Les états d'âme, de rêve, de
lucidité et de laisser-râler se succédaient à un rythme
qui commandait sa propre luxuriance de détails et de
motifs répétés. Trop d'informations, trop de sensations.
Ici j'effaçais la réalité au profit de la fiction. Là-bas dans
le lointain du rêve, je restaurais la réalité Ailleurs, je
n'avais d'yeux que pour ailleurs où tout pouvait être
recomposé au figuré. Pas un instant de répit. Des milliers d'images s'offraient, liaisons virtuelles entre le
monde et moi de plus en plus inquiète et précipitée
vers je ne sais quel inassouvissable besoin de tout saisir.

Je relus mon manuscrit. Je redessinai les édifices de
la ville armée qui bientôt prit une allure de ville fantas-
tique, décrivis longuement l'effet saisissant des palmiers
reflétés sur les pare-chocs des limousines et dans les verres
teintés des passants. Je multipliai les détails au point d'en
faire un éclairage de lumière blafarde et de jour gris dans
lequel je me retrouvai, un livre à la main, assise sur
l'herbe humide d'un grand parc.

Hyde Park. Des gens circulent autour de moi. Un
bord de pantalon, les mollets musclés d'une joggeuse,
un enfant sur un tricycle. De temps en temps, je
souligne un mot, une phrase, puisque je lis.
Cumberland Gate, une femme vêtue d'un ciré rouge
marche résolument vers le *speaker corner*, disparaît de
mon champ de vision, réapparaît, une petite valise à la
main. Elle marche fièrement, on dirait presque vers
moi. Elle stoppe, dépose la valise, l'ouvre et en sort un
petit banc de bois qu'elle déplie d'un coup qui fait sec
à l'oreille. Trois touristes l'entourent immédiatement
curieux d'entendre les premiers mots de l'oratrice.

«My life is all about life. Language is alive in my throat.
Can you hear the vibration? My voice has been severely da-
maged by a dream. I used to dream among dreamers. The drea-
mers have left. I am now left by myself to listen at my broken

voice. Everyday, I wake up early to hear the sound of the city.
"Dear, dear! How queer everything is today! And yesterday
things went on just as usual. I wonder if I've changed in the
night? Let me think: was I the same when I got up this mor-
ning? I almost think I can remember feeling a little different.
But if I'm not the same, the next question is, Who in the world
am I? Ah, that's *the great puzzle*[9]*!"»*

La femme plie son banc, le replace dans la valise.
Le ciré rouge marche dans ma direction. Elle remarque
Les travailleurs de la mer qui traîne sur l'herbe. Nos
regards se croisent. Elle saute sur l'occasion.

«Ma mère était française, vous savez. Mon père
anglais. Tous les jours, il lisait ses *philophoques* anglo-
saxons que ma mère ne cessait de dénigrer en leur
opposant le génie de ses ancêtres pensants. Révulsé à
l'idée que des femmes puissent à tout jamais être
reléguées dans l'ignorance et l'insignifiance, mon
père choisissait mes lectures. À quinze ans, il m'obli-
gea à lire *Essays on Thruth and Reality* comme s'il
voulait me jeter dans les bras de l'Absolu ou me coin-
cer à tout jamais entre *What* et *That.* Évidemment, je
ne compris rien. D'autant plus qu'à cette époque les
mots français et anglais commençaient à semer en moi
une terrible confusion. Slave, pain, habit, bite, pour,
sale, poise, rot, plumet, à chaque jour la liste s'allon-
geait bride, feu, fine, plumet, roman, chat, femme,
fond, mine, chair. J'étais sans défense à égale distance
du français et de l'anglais me croyant à tout jamais
immobilisée dans l'ambivalence. Puis, avec les années,
les mots prirent leur envol *and I became a dreamer. What*
about you? Rêvez-vous, dit-elle en s'éloignant à reculons sous la pluie qui dessinait de petites rigoles grises
sur son ciré. *"However, she soon made out that she was in*
the pool of tears which she had wept when she was nine feet
high [10]*."»*

——

L'image de la femme de Hyde Park persistait. Je me réveillai en mastiquant les mots de Lewis Carroll. La pluie tambourinait sur la vitre du hublot. Le jour s'annonçait détestable. L'inquiétude montait en moi. Jamais je ne pourrais tisser les liens nécessaires entre Irène et moi pour que se réalise l'album d'Occident. Chacune de nous s'enfonçait dans son univers comme si nous avions été des espèces différentes, spécialisées à outrance. Nous étions en service commandé. Il faudrait beaucoup plus que l'idée d'une collaboration pour que nous puissions rendre à la mer sa saveur originelle. Il y avait trop de solitude sur ce bateau. Trop de mots d'ordre et de discipline, pas assez de mer, pas assez de ce goût précieux d'éternité dans nos yeux. Montréal commençait à me manquer. Je n'étais peut-être pas une femme d'eau.

——

Je retrouvai Irène et les frères Demers. Pascal calculait, Flash s'impatientait à propos de tout. Philippe se montrait plein d'attention et de respect pour *ses* artistes.

Je m'installai dans mon «rayon de vision» pour aussitôt être assaillie par des images toutes plus dégoûtantes les unes que les autres. La vie. La vie sous toutes ses formes de reproduction. Un ensemble de gros plans où se confondaient œufs, larves, nageoires, coulées de sperme, embryons, gîtes buccaux, pédoncules, polypes. Des créatures asexuées. «Plancton, avait dit Pascal, signifie littéralement "ce qui est fait pour errer".» D'autres, sexuées, pavanaient, s'enlaçaient, visqueuses, rouges et obscènes, masses gélatineuses prises de fureur génétique. Au milieu de petits et de grands monstres vifs, la VIE bavait. Bouffe, bal, prédateurs et bouffissures.

Viens que je t'encule dans le mou du cou. Du mou partout. La vie pataugeait dans la vie. De quoi augmenter le *tædium vitæ* d'un Cioran ou d'un n'importe qui. La vie vivait, visqueuse. Morula, blastula. Les vivants soulevaient la vase d'un coup de queue en tombant. Ce n'était pas beau à voir. Spectaculaire cependant, ces milliers d'organes repoussant les ténèbres avec leur genre bien en règle.

La journée fut longue. Pleine de malentendus sur les manœuvres. Après le repas, je marchai sur le pont. Ciel d'encre, nuit totale. Je me dirigeai vers la bibliothèque. J'allumai. Les néons clignotèrent comme dans les villes à la brunante. Bientôt les étagères et la table baignèrent dans la lumière crue. Une odeur de poussière. Il me sembla que des milliers d'années s'étaient écoulées depuis la semaine dernière comme si le temps, après avoir fait battre les cœurs et trouvé une fonction à notre nature pensante, avait enfoui sa virevolte et son ombre ici parmi le papier. Occident avait peut-être eu raison de nous obliger à creuser dans ce lieu nos intentions car durant les cinq jours passés à tendre le bras vers un livre, une illustration, Irène et moi nous étions senties terriblement attirées vers l'ailleurs; en nous, un goût de futur amplifié par le d'ores et déjà nous ne sommes pas encore là. Des quelques moments d'intimité partagés avec Irène, il restait une ébauche de curieux bien-être, un partage du temps où nous nous étions rapprochées du rapprochement. Maintenant, il fallait composer avec le présent troublant du *Symbol*.

Quelqu'un avait laissé traîner un *Penthouse* sur la table. Je le feuilletai. Femmes et bord de piscine. Femmes et bord de mer. Femmes sous la douche. Femmes mouillées, offertes. Je m'assoupis, la main sur la cuisse de l'une d'entre elles.

Autour de moi, des femmes se déplacent, une serviette en turban sur la tête, une serviette autour de la taille, nues ou en maillot aussi, parfois en sous-vêtements. De temps en temps, mon regard croise une poitrine, des fesses, un pubis. Je suis dans le vestiaire des femmes d'un club sportif. Dans la salle des miroirs, des femmes sèchent leurs cheveux, d'autres enduisent méticuleusement leur corps de crèmes odorantes qui donnent à leur peau l'éclat satiné tant recherché. Certaines appliquent du désodorisant sous leurs aisselles, d'autres se nettoient les oreilles avec l'air de qui réfléchit profondément sur l'existence. Grains de beauté, vergetures, cicatrices, irruption cutanée. Vieilles femmes au ventre bas, jeunes lionnes dans la trentaine et d'autres encore plus jeunes, pas formées. Les *vfentres* me fascinent. Les femmes le portent comme un centre de gravité. Certaines avec fierté comme un projet, d'autres comme un obstacle qui gêne leur démarche. Les cicatrices sont nombreuses: une raie au milieu du ventre, une à l'horizontale, d'autres ont été taillées en diagonale, trois centimètres, neuf centimètres. Occident apparaît. À chacune, elle assigne une activité. Certaines femmes iront s'entraîner à la piscine, d'autres, au sauna, veilleront à ne pas s'évanouir. Celles qui sont affectées au bain tourbillon auront la tâche de répertorier les meilleurs sujets de conversation. À d'autres, Occident demande de nettoyer les miroirs en traçant de petits cercles avec un linge doux. Celles qui nettoient évitent de se regarder dans le miroir. Une cloche sonne. Une volée de petites filles entrent en courant. Certaines portent des robes de premières communiantes, les autres, des salopettes ou des jupes écossaises. Les fillettes se dispersent en jouant à chat, ouvrent les cases, s'emparent des robes, des blouses et des souliers que les femmes ont soigneusement rangés. Les filles paradent en riant. Sur les miroirs, elles laissent l'empreinte de leurs doigts. Celles qui nettoient les repoussent gentiment, mais les

enfants sont si nombreuses que bientôt les miroirs sont
pleins des traces de leurs mains et de leur souffle chaud
en forme de halo. Occident réapparaît. Les petites filles
sont effrayées en voyant la femme balafrée qui leur
sourit. Parmi elles, une enfant vêtue d'une cuirasse de
centurion filme la scène. Occident la félicite en disant:
mère, fille et petite-fille ont toutes le même corps. Seuls
leurs yeux diffèrent, c'est pourquoi il faut d'abord protéger les yeux.

— —

Pascal et Flash sont absents. Philippe nous attend,
l'air louche. Il tourne en rond dans ses phrases. À la fin,
il se décide. «À condition que ça reste entre nous, je
peux, si vous le voulez, vous introduire dans la chambre
de maman.» Notre étonnement puis notre enthousiasme lui donnent du courage. Il programme. Je jette
un coup d'œil vers Irène. Elle semble émue, me touche
la main comme elle l'avait fait dans la voiture à
Rimouski.

La chambre est grande comme une chambre d'hôtel en Amérique. Rose et lilas. Par la fenêtre, on
aperçoit le fleuve. Un grand lit. Une table de chevet sur
laquelle traîne un journal. Une coiffeuse. Debout, de
profil devant la fenêtre: la mère. La femme est vêtue
d'un pyjama en soie noire au premier coup d'œil facile
à confondre avec un *tuxedo*. Ma main a bougé. Je peux
faire un gros plan sur le fleuve, me rapprocher de
manière à ne voir que son dos large et velu de marée
basse ou le regarder scintiller au loin. Je fais un tour de
chambre. Sur la table de chevet, *Le Soleil. 27 novembre
1943*. La mère s'est déplacée de la fenêtre à la coiffeuse. Du premier tiroir, elle sort un dictionnaire
Larousse. Elle tourne les pages, s'arrête au mot femme.
Elle lit laborieusement en suivant avec son index. Sa
bouche est pleine de murmures et de chuchotements

comme pour bien s'assurer du passage des mots de
l'œil à la bouche, puis au cœur. Quelque chose ne va
pas. Elle se mord la joue, se frotte les yeux, masse leur
contour en faisant de petits cercles. En un instant, son
visage a changé: de très noirs traits assombrissent ses
paupières.

Comme si elle avait deviné ma présence, elle
pointe du doigt en direction d'une chaînette en or,
soulève ses cheveux, offre sa nuque. Je lui passe la
chaîne au cou. Ses cheveux sont doux, légèrement
bouclés. Nuque est un mot qui se prononce en
avançant les lèvres.

Elle se lève, va vers le lit où elle s'allonge, les deux
bras croisés sur sa poitrine. Je m'assieds sur le bord du
lit. Elle se tourne sur le flanc, les deux jambes pliées sur
le ventre. Je caresse sa joue sans rides. Je prends sa
main, enfile mes doigts entre les siens, osseux. Elle
reprend sa position initiale. Les veines de son cou sont
gonflées comme celles des chanteuses qui ont
longtemps travaillé leur voix. Elle étire les bras au-
dessus de sa tête, alanguie, apaisée, mais bientôt elle
cherche son souffle, écarte les jambes, plie les genoux
de sorte que chaque jambe dessine un v inversé dans la
lumière. Soudain. *Je la deviens.* Une douleur terrible au
bas du dos, au bas du ventre. La sensation que ça se
déchire en moi. Je respire. Bruyamment m'abîme dans
de longues séquences d'inspiration et d'expiration.
Puis, il y a une enfant dans la chambre. L'enfant joue
avec un dé.

La nuit occidentale

Ce serait la dernière nuit. À l'aube, le bateau accosterait à La Plata.

Pendant le repas du soir, les hommes avaient chanté des chansons de leur pays. Le capitaine était satisfait de la mission. Il avait offert du champagne. Ils avaient mangé des crabes en suçant leurs doigts. Occident avait eu une crise d'asthme. Irène se disait transformée par le voyage.

Le soleil allait bientôt se coucher. Les hommes s'étaient dirigés vers la bibliothèque pour la dernière séance de pornographie. Les femmes étaient montées sur le pont.

Accoudées au bastingage, les trois femmes s'enlisent dans la beauté au loin dite crépusculaire. Au milieu des flammes, des oranges, des rubis qu'il génère, le soleil orchestre un double présent.

CYBIL

Quelle étrange histoire, Occident, vous nous avez fait vivre. Dans quel monde insensé vous avez choisi de nous plonger afin d'alimenter un projet dont j'ai l'impression d'avoir perdu le fil et le film? Par votre volonté, la mer nous sera devenue plus étrangère et inaccessible qu'avant notre départ. Vous nous avez entourées d'hommes et de livres, nous avez obligées à travailler derrière un masque, le corps branché à des fils. Vous avez prétendu nous rapprocher de la réalité pour ensuite nous précipiter dans un monde d'artifices.

OCCIDENT

Ce soir, il y a une petite brise mais, attention, on ne dit pas une petite brise à la légère. À l'échelle de Beaufort, il y a une différence entre très légère brise, légère brise, petite brise, jolie brise et bonne brise. Quand la mer est calme, on dit miroir. Brise évoque rides, vaguelettes, écume, moutons, embruns. Au-delà, il faut employer vent, lame, écume, déferlante. À partir du chiffre dix, on est en danger. Au chiffre douze de l'échelle, la mer est entièrement blanche. Cybil, je n'ai pas changé d'idée: un livre doit nous enseigner.

Le soleil est maintenant à plat, couché sur la mer. Sur son dos, il cisèle de petites entailles en forme d'arêtes à l'encre rouge.

CYBIL

Vos manières, Occident, sont blessantes. J'étais libre, direz-vous, de refuser votre proposition. Non, car vous avez semé en moi l'*ailleurs* comme un rêve.

OCCIDENT

Alors, je ne vous ai pas déçue. Si rêver signifie être là sans y être, convenez que je vous ai fait rêver au-delà de toute espérance. Vous m'accusez injustement. Il ne m'appartient pas de libérer en vous les forces obscures qui vous retiennent au quai. Je n'ai jamais mis en cause votre liberté d'expression. Ne me tenez pas responsable de vos frustrations. Une artiste doit savoir faire feu de tout bois y compris du bois mort qui entrave la venue des pensées.

À l'horizon, il ne restait plus qu'un mince filet de couleur bientôt avalé par le noir. Un noir de crayon marqueur capable de tout raturer, de refouler dans l'oubli la splendeur antérieure. Un matelot vint sur le pont annoncer que la bibliothèque avait été remise en ordre.

La nuit dans sa verticalité de mur rend les yeux inutiles. Une nuit comme Cybil n'en avait jamais connu. Nulle part dans le monde, la densité de la nuit n'avait semblé se resserrer si violemment autour d'elle. Nulle part le vaste monde peuplé de rancunes et d'espoirs avait-il été réduit à ce point inutile, silencieux comme un obstacle majeur à sa compréhension. Bloc de ténèbres. Cœur au ralenti. Cœur solitaire immobilisé comme une abstraction de vie au cœur des ténèbres. Nuit close. Clôture de culture. Trop de tout, trope trompeuse au trot dans le silence. Trop nuit. Seule la toux sèche d'Occident égratigne la masse noire de la nuit. Chambre noire.

Or une voix s'élève claire et conquérante. La voix respire bien dans le lointain. Un air doux. Qui est qui, masse d'ombre dans la nuit, qui est là dont le souffle émeut Cybil.

La voix

Tu écriras ce livre, au milieu de la nuit, mêlant ton ombre aux ténèbres, liant les morts et les vivants, tous les mots nécessaires et le trop vaste du désir. Tu refuseras de choisir entre la voix, la nuit et la mer, t'enduisant de leur parfum, de leur immensité qui réveillent le corps dans l'abondance des serments d'amour. Dans cette langue qui te fut donnée, tu *réveilleras* les monstres, les légendes, les montres, tout le vrai de réalité incrusté comme une poussière du temps entre les ailes des anges et des madones sculptées, entre les yeux des gargouilles et les feuilles d'acanthe des colonnes de la Sun Life. Tu iras toutes les chercher ces voix dont tu entends les hautes et les basses, la mélopée, le modulé de l'angoisse et de la peur, les cris de joie et de plaisir, les chuchotements énigmatiques, le murmure amoureux au matin clair. La musique de la Sixtine quand elle

tient l'archet d'une main pliée comme un *origami*. La
voix de la femme aux cheveux roux qui basculait dans
l'abîme du rire tant son âme, tant son ventre, donnait.
La voix d'Irène argumentant avec elle-même dans sa
chambre noire. Ton oreille tu appuieras sur la bouche
de femmes à la voix forte et coléreuse sans craindre la
verdeur et la gravité de leurs propos. Tu embrasseras
Occident sur son malheur de balafre rose, frissonnant
avec elle dans la mémoire du temps. Tu garderas
l'équilibre au-dessus de l'abîme et de l'eau, vivras dans
ton vertige. Nouée dans l'ombre de tes personnages, les
yeux clairs et vifs, la bouche en plis de chants, de déclarations et de serments, tu dénoueras leur ombre
emmêlée.

Parce que au-delà de dix on peut mourir, la voix
s'est mue en forme rutilante comme un corps au sortir
de l'eau. La voix est un oiseau, une chevelure, algue,
lyre, lamantin, elle s'élève à nouveau, cette fois-ci
source de lumière, immense miroir palanqué à la hauteur du bastingage. Reflétée là, l'image de Mage, de
Noland et de DesRives serrées les unes contre les autres
comme au temps où on aimait représenter l'idée de
peuple en rapprochant les épaules des personnages.
Occident au milieu, pâle, une main sur l'épaule de
Cybil, l'autre appuyée sur le bras d'Irène. À cause du
miroir et de l'image inversée, les femmes scrutent au-
delà du reflet leur image. L'image bouge. Le miroir se
transforme en écran. Des générations de femmes
tournoient avec la plus grande lenteur, montrant leurs
épaules et leurs profils, leurs seins remplis de lait, leurs
hanches fortes de guerrières, la tête auréolée, décorée
de fruits, d'une lyre, d'un peigne ou de la terre tout
entière. D'autres, plus jeunes, portent des bérets d'écolière au milieu de femmes à tête découverte dont les
yeux persistent, insistent.

OCCIDENT

Il y a à peine quelques années, nous pouvions affirmer sans risque: la mer est un présent continu, éternel recommencement. Maintenant, le futur est entré dans son destin. Le futur est notre présent. J'ai eu le désir de cet album, d'une collaboration entre vous, car je suis obsédée par l'idée que la mer ne puisse encore longtemps faire œuvre de symbole. J'ai pensé que votre art pourrait m'être un baume, apaiserait en moi l'angoisse du mauvais présage. Ne dit-on pas que «l'abstraction vide le symbole, en engendre le signe; que l'art, au contraire, fuit le signe et nourrit le symbole[11]»? Dites-moi, Irène, quand un symbole cesse-t-il d'être un symbole? Dites-moi, Cybil, quand un mot perd-il son sens, sombre-t-il à tout jamais vidé de son mystère?

Irène donne l'impression de vouloir répondre par une de ses longues phrases qui la transforment en oracle d'urbaine modernité, mais à peine a-t-elle pris son envol que la phrase plie comme un taureau foudroyé.

IRÈNE

D'où vient, dit-elle, que vous soyez si discrète sur votre vie?

OCCIDENT

Je n'ai connu ma mère qu'à travers des portraits, des peintures. De vieilles images, lithographies, photos, dessins dont mon père s'entourait. J'ignore ce que signifie le corps à corps avec la mère. Cela m'a toujours semblé justifier une certaine retenue à l'égard des choses dites intimes. J'excelle à comprendre, à discourir sur tout ce qui ne s'explique pas par des liens affectifs ou sentimentaux. Voyez, en ce moment, je frissonne, je cherche mon souffle, mais ne me demandez pas d'expliquer cela par autre chose que par la brise légère et l'asthme dont je souffre. Tout ce que je sais me vient des livres et des sensations accumulées dans mon système nerveux au fil des années. Mon savoir est livresque, ma connaissance du monde purement physique. Bien sûr, il m'arrive d'éprouver des frissons qui pourraient s'apparenter à une quelconque émotion, mais comme je ne cultive aucun lien d'intimité, je n'en ai que faire. En revanche, je crois facilement tout ce que les gens racontent sur leur vie. Au-delà de la compréhension que j'ai des lois biologiques et chimiques qui nous portent à réagir contre toute forme d'agression, je suis affectivement analphabète. Les motivations, les bonnes et les mauvaises intentions, je ne sais pas les interpréter. Par exemple, il y a des années que je connais Carlos Loïc Nadeau. Cent fois il m'a raconté sa vie, signifié ses goûts, exprimé ses convictions politiques. Chaque fois, j'ai cru tout ce qu'il racontait. Mais je demeure impuissante à comprendre ses colères, ses sautes d'humeur, son entêtement à vouloir gagner à tout prix quand nous divergeons d'opinion sur les risques de certaines manœuvres de carottage.

IRÈNE

Vous avez bien grandi quelque part!

OCCIDENT

J'ai passé une partie de mon enfance au bord de la Méditerranée, l'autre entre les côtes de la France et de l'Angleterre. À la vérité, j'ai grandi dans les casinos que possédait mon père. Là où le temps ne compte pas, où le nombre des perdants dépasse toujours celui des gagnants. J'ai vécu là où cacher son jeu, bluffer et cultiver un visage de marbre sont monnaie courante. C'est la première fois que je raconte cette histoire. Encore qu'il n'y a pas à proprement parler d'histoire. Seulement un peu de rouge et de noir, un grand tapis vert sur lequel s'accumulent les jetons machinalement raflés par le bras long des croupiers. Décor. Pas d'histoire. Des places libres, vides, occupées. Des hommes ruinés, des femmes minées, des billets, des chiffres. Un seul verbe: gagner.

À vingt ans, j'ai misé tout mon pécule sur le chiffre trois. J'ai gagné. Je suis partie aux États-Unis sur la côte ouest. La semaine j'étudiais à l'université de San Diego, les fins de semaine je roulais vers Las Vegas où je travaillais comme caissière. Océanographe parcourant le désert. Ne riez pas. Le mot *mare* ne vient-il pas du mot sanscrit *maru* qui signifie désert. Un jour, on m'a offert un poste à Rimouski.

Quelle étrange nuit! Tout à l'heure, il m'a semblé entendre une voix de Sirène. Beau temps, mauvais temps, elles apparaissent. La poésie, direz-vous, Cybil. Sans doute. À l'époque byzantine, il était d'usage, parmi les savants, de se désigner mutuellement sous le nom de «sirène». À chacun de mes voyages, on m'a raconté des histoires incroyables que, bien sûr, j'ai crues. La sirène Feejee. Un monstre fabriqué de toutes pièces par un pêcheur japonais qui avait cousu la queue d'un saumon à la partie supérieure du corps d'un orang-outan. Elle fut achetée par un Américain pour six mille dollars. De tout temps, imaginaires, de fabrication artisanale ou charnelles palpables, il y a eu de bien belles et terribles sirènes. Pour ma part, elles m'ont toujours porté bonheur celles-là qui peuplent non seulement la mer mais les couvents et les manuscrits.

D'une voix sibilante, Occident entraîne les artistes vers trois chaises longues en bois qui dans la nuit ressemblent à des gisantes. Les trois femmes sont maintenant allongées, les yeux grands ouverts sous la nuit étoilée. Une petite brise passe au-dessus des corps, caresse les cheveux, frôle parfois le bout des seins. Comme un grand tapis de casino ouvert à toutes les mises, l'immensité est de retour, s'offre impudique aux soupirs d'extase. Chaque étoile est comme la pointe en or d'un stylo. Les stylos tracent des pointillés en forme de chien, d'ours, de corne et de voile. D'une constellation à l'autre, il y a des sentiers par où passent les questions comme des planeuses indolentes. Irrésistibles questions dont le sens est d'être dissipé, poussière d'or, beauté lactée qui apaise.

Occident tousse de plus en plus. Le sifflement des bronches. Spasmes. La poitrine se soulève. Des gestes soudain incohérents. Le vent cingle les jambes de Cybil et d'Irène qui se sont levées, inquiètes.

Irène décide d'aller chercher Thomas Lemieux.

Occident mourut à l'aube. Le docteur était arrivé en courant sur le pont, suivi du capitaine et de Derrick Tremblay. Les trois hommes s'étaient affairés autour d'Occident après avoir éloigné Cybil et Irène comme on écarte les curieux. Ensuite, ils l'avaient transportée à la bibliothèque, l'avaient couchée avec mille précautions sur le sol. Le *padre* Sinocchio était apparu pâle et tremblant. Cybil se tenait près du hublot. Les néons jetaient une blancheur sinistre sur les visages. Derrick Tremblay se mordillait la lèvre inférieure. Le capitaine avait demandé à Irène d'aller chercher la caméra vidéo. Irène filmait. Tout tournait. Les hommes chuchotaient. Des mots en latin extrêmement onctueux sortaient de la bouche du *padre*. Le docteur passait souvent sa main sur le front d'Occident comme s'il voulait éponger les mauvaises pensées de mort qui avaient peut-être déjà pris corps dans la tête d'Occident. À la racine, les cheveux étaient blancs.

Occident avait tourné la paume de sa main gauche. La main était là, offerte, appelant une autre main. Cybil avait compris. Elle s'était faufilée entre les hommes, vers celle qui, elle en était maintenant convaincue, avait changé son horizon de vie. Les yeux fuyaient doucement, leur bleu de mer s'en allait abstrait on ne sait où. Cybil avait rapproché son visage de la tête. La joue, la peau, la balafre avaient maintenant une odeur. Les lèvres allaient bouger, voulaient parler, mais les hommes ne voulant en rien céder leur place autour de la mourante, Cybil avait été polifermement refoulée à l'arrière-plan de la scène. Ainsi les derniers mots d'Occident s'en étaient-ils allés à l'oreille de Thomas Lemieux faire leur nid de mystère.

À La Plata, Juan Existo attendait sur le quai.
Derrière lui, les épouses et les fiancées se bousculaient,
avides de retrouvailles. On le fit monter à bord. Les
hommes se réunirent, discutèrent, prirent des déci-
sions, préparèrent un communiqué de presse. Ils s'oc-
cupèrent de tout dans les moindres détails. Papiers,
documents, certificats.

Occident fut incinérée. Dès son entrée dans le
golfe du Saint-Laurent, Carlos Loïc Nadeau devait dis-
perser ses cendres.

Hôtel Carrasco

Je me suis installée à l'hôtel Carrasco. Celui que j'avais remarqué sur une affiche lors de l'escale à Montevideo. De ma fenêtre, je regarde le *río*, aussi bien dire la mer. Je resterai là le temps qu'il faut. J'écris tous les jours le texte de l'album tant désiré par Occident. Le soir, je marche dans les rues de Carrasco ou sur la promenade devant la mer. Le temps double s'est dissipé. Je suis redevenue ce que j'ai toujours été: seule. Il n'est pas nécessaire de tout dire. Je circule au fond des océans. J'écris sur les épines, les monstres, les gueules, les queues.

Comme à Rimouski, tous les matins, «la mer est le feuillage de tous les fleuves[12]». Des passants distingués sur la promenade. Un soleil effrayant. Me délecter du bleu vertigineux. L'hôtel est immense. Splendeur du début du siècle. Peu de clients. Les plafonds sont hauts. De magnifiques colonnes, des lustres. Des miroirs qui avalent l'ombre sur notre passage, le tourment bref en passant l'apparence. De temps en temps, je croise un groupe de cinéastes venus présenter leurs œuvres au Festival du film de Montevideo. Les corridors sont si larges qu'ils peuvent marcher à quatre de front sans que j'aie à me ranger. Sans eux, la salle à manger serait vide. Silencieuse. Il y a une seule femme dans le groupe. Une très vieille femme qui, dit-on, a connu

Garbo, Dietrich et Riefenstahl. Les cinéastes sont pleins d'égards à son endroit. La femme âgée est respectable.

À la réception, on m'a expliqué que c'était la tradition d'installer les artistes dans cet hôtel où il est facile d'imaginer et de rêver. La splendeur du passé ne laisse personne indifférent. Le passé attire, car vidé des corps qui l'habitèrent dans le va-et-vient du quotidien, leurs humeurs et leurs sécrétions fonctionnant à plein rendement, il sollicite l'imagination pour qu'elle le comble à nouveau de présences charnelles. Ainsi, dans le regret de n'avoir pas été là, se surprend-on peu à peu à donner regards et visages, sentiments et manières à des êtres plus récents qui veilleront à ce que nous ne manquions de rien en songeant à notre disparition.

Il y a un casino dans l'hôtel. Je n'y ai pas encore mis les pieds. J'ai l'impression que je ne pourrai plus me passer d'Occident et d'Irène. Quoi qu'il arrive, leurs voix m'accompagneront, contemporaines et bouleversantes, comme ce qui plaide en faveur de la vie dans le monde sonore du changement et de la fiction.

Certaines nuits, je sens la présence d'Occident avec une acuité désespérante. Alors, c'est fou, je fais venir l'image de la Sixtine. Nous nous asseyons sur le bord du lit avec l'air sévère que donne parfois le désir. Nous nous levons pour danser enlacées dans la succession des heures. Je ne sais pas ce qu'il adviendra de Cybil Noland, personnage. Avant tout: terminer le texte de cet album par respect pour Occident. Il y a beaucoup de mots pour survivre.

Impossible d'oublier la dernière scène. La main tendue. L'odeur, surtout. J'ai honte. Il aurait fallu bousculer le *padre*, le capitaine et le docteur, prendre ma place auprès d'elle. Toucher son désarroi, sa frayeur, tendre l'oreille avec une telle présence d'esprit que la vie l'aurait emporté. Il n'y a pas d'excuse à ma passivité. J'ai perdu mon honneur et la raison en ne défendant pas ma place auprès d'Occident.

Thomas Lemieux n'est pas reparti avec l'équipage. Il a signé tous les documents. Après l'incinération, il nous a annoncé qu'il ne remonterait plus sur le *Symbol*, qu'il allait vers le sud, la Patagonie, puis il nous a invités, les frères Demers, Derrick Tremblay, Irène et moi, dans un restaurant de la Boca où nous nous sommes enivrés jusqu'à l'aube en faisant des jeux de mots sur la mort. Occire. Des pitreries qui nous ont sans doute fait passer pour des barbares aux yeux des *porteños*. La détresse. Toucher le fond. Le lendemain, le *Symbol* est reparti vers le nord. Irène s'est envolée vers Montréal et ses écrans. Personnage.

Après la nuit blanche à la Boca, je suis rentrée à l'hôtel. J'ai dormi trois heures. Je suis ressortie vers midi, à l'heure où le soleil tue. J'ai passé la journée à errer dans Buenos Aires. Plaza de Mayo, j'ai marché avec les folles de la place. Je suis revenue à l'hôtel vers dix-neuf heures. On m'a remis une lettre d'Irène. Une autre de Lemieux. J'ai réservé un billet d'avion pour Montevideo et une chambre à l'hôtel Carrasco. J'intitulerai l'album: *La vitesse du silence*. Peut-être *Vfentres*.

Un seul corps
pour comparer

Il existe un autre problème, comment juge-t-on de la sincérité d'un auteur.

ROGER CAILLOIS

Il nous arrive de sourire inutilement, je veux dire légèrement, dans les yeux une grâce ponctuelle qui passe en nous comme une ombre, le temps de frissonner à l'idée toujours grisante d'une renaissance. Contre la fenêtre, la pluie par jets comme un banc de poissons, petite ondulation soudaine dans la lumière assombrie un instant au coin de l'œil.

Ils m'ont installée dans un hôtel au cœur du Vieux-Montréal. Du dix-septième étage, Montréal, le Vieux Port, ses hangars. Un peu de ce grand fleuve par la fenêtre en angle. L'éditrice a fait envoyer des fleurs. Trois lys, une branche d'orchidée. L'odeur des lys est prégnante. J'ai commandé du thé. Le sucrier ressemble à un volcan.

J'aime que toute cette histoire soit derrière moi. Déjà cinq ans. Je passe une partie de mon temps en compagnie de la traductrice et de l'attachée. Nous faisons des boucles dans la géographie et le présent, amorçant plusieurs sujets à la fois de manière à ne rien oublier. Nous parlons du temps. Nous nous en éloignons avec de courtes phrases. Nous préparons l'horaire du lendemain en rapprochant nos têtes au-dessus de cafés noirs et brûlants. Avançons des hypothèses sur les sentiments qui surgissent après que nous nous sommes frottées au texte. Je raconte ma première visite à Montréal, la place Ville-Marie alors en chantier. Puis, un deuxième voyage, plus récent, où le bonheur avait été grand de découvrir une ville française. Je laisse couler le passé. La jeune traductrice s'intéresse au présent, déborde de l'énergie du présent. Dit éprouver une telle satisfaction que la traduction française soit québécoise.

De ma chambre, la vue est imprenable. Le fleuve respire. Au loin, une panoplie de vert pomme, tendre, galant et estragon, vert saveur de jeune saison.

L'éditrice m'a offert un exemplaire relié de la traduction. Je caresse la peau blanche du livre. Peau de requin étrangement lisse comme satin. Plus tard, durant la soirée, entourée de gens sobres et pathétiques, j'ai parlé du danger qu'il y avait à vouloir trop polir. Polir son texte, ses phrases, sa vie. Danger de faire pâlir la réalité. Des gens ont parlé de la mode, d'autres s'en sont tenus au phénomène des générations, affirmant que certaines époques plus que d'autres facilitaient l'émergence de nouveaux cris. Une femme a déclaré ne pas savoir distinguer entre le cri et le si d'une époque.

Absurde cette idée qu'il existe des époques faciles en écriture. Comme si le sens n'était pas toujours à recommencer au milieu de questions chargées de mythes et d'électricité. La connaissance innée que nous avons de la mort et de la beauté ne peut qu'éprouver nos croyances, raviver en nous l'ivresse des sens. Non, il n'y a jamais eu d'époques faciles. La mort et la violence, la science sont toujours contemporaines, cerceaux de feu qui fascinent les fauves pleins d'entrain que nous sommes, enclins à refuser les temps morts et les bouts faciles.

Londres me semble lointain. Le monde change. Il faut en profiter. D'autres avant nous y ont cru. C'est fait. C'est compris. Dans nos gènes, c'est promis.

Durant les entrevues, je fais attention de ne pas employer *à l'époque*. L'impression d'un *je n'écris plus* serait trop vive au milieu de la phrase. Bien sûr, ce sont des choses qui arrivent: l'usure, l'ennui, la défaite, la chose bouffonne du laisser-râler. Surgi à l'improviste *je n'écris plus* risque de ternir l'idée de bonheur à laquelle je tiens, l'idée qu'on s'en fait en multipliant dans la langue les utopies comme des orch*idées*. S'il m'arrivait un jour de ne plus écrire, j'exigerais réparation. Oui, je me vengerais de l'horrible sensation.

On m'interroge souvent sur les origines françaises de ma mère, sur ma double identité. On s'intéresse à mon accent français presque français. On m'aime, à cause de Virginia Woolf, d'Emily Brontë ou de Radclyffe Hall. Exister dans la langue du père en inquiète plusieurs. On m'oblige à des retours en arrière. À mon tour, je m'installe dans leur histoire. Tous les jours, je phagocyte une partie de leur réalité et de leur littérature. Le monde change. Parler français me trouble. Je raconte de petites anecdotes qui font plaisir. Ils aiment tant la «romancière anglaise», comme si l'expression n'était que matière à fantasmes, faste de symboles où la mer et son rivage excitent l'imagination, où femme et falaise forment un couple mystérieux dans le vent soumis aux forces narratives.

Aucun bruit de ville ne parvient jusqu'au dix-septième étage. Silence vertical. Montréal me séduit du crâne aux orteils avec un temps d'arrêt horizontal à la hauteur des épaules. Je fais peau neuve. La nuit dernière, j'ai dormi nue dans l'air conditionné. Dormi sans rêve ni cauchemar. Femme endormie au milieu d'une grande chambre d'hôtel. Combien de naissances, de morts naturelles et de viols, combien de fois le choc répété des vagues sur les rivages du monde pendant mon sommeil? Que se passe-t-il à l'aube, d'est en ouest, du sud au nord de toutes les aubes pendant que je m'absente et que des femmes étirent, comme au cinéma, leurs bras chauds vers le jour qui vient? Chaque fois que ma poitrine se soulève, que je respire, bouche ouverte sur fond de drap blanc dans le noir de la chambre, qu'en est-il du moral des hommes armés de morale?

Succomber à la tentation de ne plus écrire serait d'une lâcheté sans nom. Durant l'entrevue d'hier, *Occident* m'a échappé. Je sais bien qu'il y a une relation entre l'écriture et la sensation d'omniprésence que me procure le mot, car il me donne souvent raison. Le mot m'a échappé. Je l'ai aussitôt entouré d'images oxydant la merveille sonore. J'aurais pu m'arrêter là à l'oral. Mais j'ai poursuivi en associant l'Occident au progrès, à la navigation et à la vulgarisation de l'individu, sa rapide ascension au sommet de la hiérarchie des espèces.

La traductrice dit: «Vous traduire n'a pas été de tout repos. La description des *pietàs*, cette façon de faire lent dans les cimetières, d'entourer le marbre et le bronze d'un flou holographique pour aviver l'impression de présence et d'étrangeté. Et soudain l'illusion que vous donnez de pouvoir. Toucher, caresser peut-être. On dirait qu'il y a des escargots dans vos mots. Pourtant chaque fois qu'on soupçonne une absence, un vide, ils se transforment en grenades d'énergie. Oh! oui vous m'avez surprise.»

Oh! oui m'est resté dans la tête comme une expression de joie, une sorte d'empressement à guetter le plaisir brut de la vie, à se faire plaisir d'un but dans la vie. Un oui on aurait dit coulant de source vers un ailleurs meilleur. *Oh! oui* entre ses lèvres m'a fait retrouver un plaisir ancien. Comme à l'époque une série de petites ruades au bas du ventre et le monde se met à prendre des proportions harmonieuses, des allures gaies qui réconcilient avec la vie en réclamant leur dû de mots doux et musclés.

Le matin, il me vient naturellement à l'esprit qu'il existe des endroits tendres dans le monde comme il en est ici et là à la surface du corps, répartis inégalement de manière à entretenir le goût d'explorer, l'idée joyeuse que l'on peut, en suivant le contour des êtres, accoster dans des zones propices à la connaissance.

J'ai flâné une partie de l'avant-midi à la cathédrale. N'ai pu résister à l'envie de revoir les toiles de Delfosse. Je ne sais pourquoi ces toiles sont restées gravées si longtemps dans ma mémoire de voyageuse. Ou peut-être est-ce la cathédrale tout entière qui m'avait alors fascinée. Ce goût pour la reproduction à échelle réduite sur un continent pourtant si vaste.

Il se pourrait que ceux et celles qui nous entourent aient un lien avec les personnages que nous créons. Il se pourrait après tout que nous soyons en mesure de reproduire la joie de vivre tout en introduisant comme autant de motifs décoratifs nos tourments et quelques mauvais arguments au large de la joie.

Des journalistes: «On dit que vous avez longtemps séjourné à Buenos Aires, que vous avez connu Piazzola. À l'époque, vous aviez accordé une entrevue à *La Nation* dans laquelle vous déclariez: "Ici, j'existe." Vous n'avez rien publié depuis cinq ans, peut-on conclure que [inaudible]? On raconte que durant votre dernier séjour au Québec, vous avez demandé à rencontrer l'auteure de *L'Euguélionne* et le romancier Victor-Lévy Beaulieu. Est-il vrai qu'au dernier Salon du livre de Paris, vous en êtes presque venue aux poings avec Camille Paglia et que Bernard-Henri Lévy a dû s'interposer entre vous?»

Fascinant somme toute ces idées qu'on croit éternelles et qui vivent à peine le temps d'un graffiti,
d'une élection, d'un mal de tête. Je me réjouis cependant que la fiction puisse tant et si bien les rendre
viables qu'on ne puisse plus par la suite douter de leur
existence.

«Revenons, dit la traductrice, à la beauté. Je ne
crois pas qu'on puisse en faire l'économie. Nous
désirons tant l'enchantement. L'amour tout autant
puisque nous ne nous reposons jamais, nous sachant
fragiles et minuscules devant l'immensité. La loi
biologique qui se traduit par notre aveuglement devant
une source de lumière trop vive nous pousse constamment vers qui au toucher pourra nous rassurer. C'est
ainsi que persiste le sentiment de pouvoir toucher à la
lumière.»

Il fait beau. À la terrasse deux hommes sont d'une morgue sans pareille. Une jeune photographe s'est jointe à nous avec beaucoup de pétillant dans les yeux. L'éditrice vient de lui confier la collection DOUBLE MISE. «Poètes, philosophes, infographes, photographes, peintres, *name them, I'll match them.*» En bande sonore, nous célébrons. Puis, comme si le feu y était, la photographe nous entraîne au Musée d'art contemporain pour voir l'exposition d'Andres Serrano. Quelques ruelles à traverser, car elle prétend qu'en empruntant ces petites artères, on exerce l'œil, on augmente sa capacité de réflexes. «La ruelle est à l'œil ce que la sirène est à l'oreille: inquiétante», dit-elle.

Au musée, nous regardons la mort. Impeccable.

Un seul corps pour nous instruire du plaisir. Un seul corps pour la présence et l'absence, pour découper dans le temps la forme accidentée des pensées. Un seul corps pour satisfaire l'envie de lumière et de mer. Un seul corps pour trouver les mots nécessaires, pour nous obliger à répéter. Le même pour comparer. Corps de mémoire pour inventer et progresser vers le silence.

Les ruelles de Montréal me font penser à cette époque où j'enfilais les mots comme des perles. Jamais de décousu. Description: du solide, mur à mur, concret de réalité. Un arbre malade, un chat, une enseigne, je décrivais. Une femme assise sur un banc, je montrais son visage, les mains rouges, les jambes enflées, les vêtements qui débordent d'un sac froissé; à ses pieds, des mégots, toutes saletés collées au pavé. Le temps de lever les yeux, d'apercevoir les étages supérieurs d'une tour d'habitation, je décrivais nuages, balcons, vertige urbain. Oui, ça m'était alors facile. Je *d*écrivais pour ainsi dire «les yeux fermés». Plus tard, j'ai eu l'outrecuidance de croire que ce que j'écrivais donnait un sens à ma vie. Alors *je n'écris plus* m'a foudroyée.

Hier, la traductrice et moi avons lu des extraits du roman à la radio. Passage du temps et de la culture dans nos voix. La sienne, rauque et pourtant mélodieuse. La mienne plus claire, frêle, je l'aurais cru. Ce que je lis, je le prononce avec le souvenir des jours d'écriture. L'odeur du thé à la menthe, Cecil Court, ses vitrines pleines de livres anciens. Mon studio. Les jours pluvieux, tous mes livres empilés dans un coin comme une tour de Babel, la vue sur Hyde Park et son vert de caméléon, la tache bleue du lac Serpentine. Toujours là, je suis cette chose présente et intime enfoncée dans le bruit urbain, ombre singulière dans la lumière du jour où vont les passants contemporains. Le passage du temps dans la langue qui rouspète par amour des lieux et du voyage. À la radio, nous sommes deux voix en ondes. Et ça rapproche.

Aujourd'hui, encore à la radio. Nous parlons pas-sionnément au neutre. Quiconque. On. Les gens. Portées par le courant des grands principes esthétiques, enclines à vouloir le bien, un peu de casse et à nous donner un but dans la vie, nous ne ménageons per-sonne. Nous répondons à toutes les questions, le bruit d'autrui dans nos écouteurs comme l'écho de maté-riaux anciens, nous multiplions les propositions d'ardeur et d'espoir. Nous gardons désespérément notre sérieux.

Le sentiment de vivre à la limite de l'avenir, déstabilisée dans ma propre légitimité au milieu des artifices. Toucher le monde redondant par images interposées. Chacun pour soi va, les poches pleines de vibrations, de vieux chagrins et de photocopies, montrer son univers de petit écran. Loin, nous sommes toujours loin. Je regarde le fleuve, la culture de néons qui l'entoure comme une autoroute. La civilisation au grand bord de la civilisation. Nous prenons parfois de bien étranges détours pour cacher nos larmes.

Au bout d'un certain temps, je fatigue. Parler français me plonge dans un trouble indicible. Je tiens pourtant bien le coup dans la langue de maman. La traductrice, fine comme tout pour ne pas dire comme une mouche, a remarqué et le malaise et l'aisance avec lesquels je compose. Aussi lui arrive-t-il de m'adresser la parole en anglais quand le sujet se corse. Je lui suis reconnaissante de me tendre ainsi la Perse, mais étrangement je ne sais ne suis soudainement plus là où nous en sommes. Deux ou trois phrases en anglais suffisent pour que j'aboute choses décousues, petits rats de l'Opéra et autres syllabes utiles qui ne la concernent guère, je le vois dans son regard, elle a deviné, dans la langue de mon père, je suis joueuse et ne manque pas de tricher. Dans la langue de lui, je sais que je peux gagner en faisant mine de respecter la règle. Et surtout en ne la respectant pas.

Le français ce fut d'abord la bouche de ma mère, des ronds, des loulous, des coups de langue, des sucettes de crevettes roses, le bruit du pain qui casse dans sa main. Des fossettes sous les mirettes si elle rit. Son souffle sur mon nez quand elle prononce truffe en prenant des airs de dame Larousse. Le français ce fut azur, azalée et tous azimuts. L'aurore rose et les couleurs qu'elle disait voir dans les sons quand, au matin devant la fenêtre, elle dessinait un grand cercle de vie pour m'endimancher de baisers et de mots exquis. Le français, ce fut la plage. Brighton. Ma sœur Adeline emportée par les vagues, à cause d'un mot français que ma mère ne parvenait pas à traduire, ne parvint jamais à prononcer.

L'éditrice au bout du fil. Il y a eu de la mortalité dans sa famille. Elle part en catastrophe pour Rimouski ce soir. L'attachée s'occupera de tout, de moi. Dans l'énervement, nos paroles se chevauchent. Puis, accalmie. Rimouski n'est plus un point abstrait dans l'atlas que longtemps j'ai tenu sur mes genoux en rêvant du Saint-Laurent, de sa dimension telle que, sans point de comparaison, je devais m'en remettre à l'horizon pour nourrir mon imagination. La mort passe aussi par Rimouski.

La traductrice affirme que la naissance d'un personnage transforme la lumière du matin, l'insère dans
un grand tout d'énergie ludique. Tout cela peut facilement se comparer à la naissance d'un mythe. Elle dit
que le personnage n'est jamais de passage. Quoique
libre de l'abandonner quand bon lui semble, qui
invente autrui sait que c'est toujours devant soi.

À la télévision, nous avons cinq minutes pour parler de l'éternité, c'est le thème, et de mon livre. Nous sommes en direct. Nous nous précipitons sur l'éternité avec nervosité. Pendant les pauses publicitaires, le régisseur fait craquer ses jointures. Dans un coin, l'attachée nous observe. Maintenant, c'est fini, on dirait bel été terni.

Le futur est une rumeur continue qui intoxique l'énergie du présent, nous tient constamment sur nos gardes. Objet insolite, le futur est un bagage d'informations au pied d'un comptoir de renseignements que des spécialistes surveillent, s'apprêtent à neutraliser. Au futur, la diversité d'autrui revient au même: le caractère effrayant de notre aptitude au voyage et au vertige des grands espaces et de la promiscuité. Le futur nous enracine dans la fiction.

Au fil de mes conversations avec la traductrice, je constate que nous nous sommes arrêtées sur les mêmes passages. Nous avons buté là où les mots offraient pourtant une ouverture. Ainsi tout en plongeant dans l'ailleurs du *par ailleurs,* nous nous sommes immobilisées au milieu des choix, en quête d'une suite qui ne compromettrait pas le sens du récit, la configuration des destins. La traductrice affirme que la littérature n'est qu'une affaire de *par ailleurs.* Par la suite, nous parlons longuement de voyage, puis nous passons le reste de la journée dans un Nautilus de l'avenue du Parc.

Un seul corps pour comparer, parmi les appareils, nos muscles huilés, tendus dans la pure merveille du présent charnel. Une seule ossature pour mesurer le poids du jour, la légèreté, la force des bras et des jambes. L'élasticité, l'électricité du corps. Bientôt nous sommes en eau et cherchons le repos. Après la douche, nous évitons de nous regarder dans les yeux. La traductrice: «En français, si on omet les auxiliaires, ou et où, il n'y a que sept mots composés exclusivement de voyelles: deux mammifères, un oiseau, un sens, un jouet, oui qui peut-être un nom ou équivaloir à une proposition affirmative, et l'eau qui, bien qu'inodore et sans saveur comme les couleurs, vient souvent à la bouche troubler notre imagination.»

Lorsqu'on éloigne la pensée du personnage, celle-ci se retrouve à l'autre bout de nos intentions, n'est-ce pas? On emploie alors le mot fragment pour parler de la pensée qui a perdu son personnage. Le délire c'est autre chose. Rapide comme le fragment mais sans fiabilité. Utile cependant pour interrompre plus bavard que soi et pour sortir le normal du nombril.

Nous sommes d'accord: il y a des trous dans la langue qui ne sont pas de silence et n'expliquent en rien l'état second dans lequel se retrouve parfois le personnage. Il y a des trous guetteurs de vertige et de tension qui blessent le personnage et restaurent la confiance de l'auteure.

La traductrice n'arrête pas de me surprendre. L'impression qu'elle dévore trop de présent, trop de tout, vite avec sa bouche rouge allumée le jour comme un artifice gai, la nuit comme un signe de feu. Une connivence respectueuse s'installe entre nous. Au-delà de la différence d'âge et de culture qui nous sépare, une sorte de vérité nous lie, exige fabulation. Aujourd'hui nous nous sommes tutoyées en traversant le parc Lafontaine.

P lus tard, quand la nuit fut avancée, j'ai pensé que
c'était sans doute une erreur d'espérer que le
roman puisse faire état de quelque nouveau rêve et
dénuder l'âme au point que le corps montre sa char-
pente en flûte d'os et de roseau. Il fallait plutôt se rapprocher jusqu'à l'obscène de la fiction, laisser faire
cette chose qui nous prend de vitesse, donne une folle
envie de se tromper à travers elle. Il fallait imaginer fiction qui oblige à craquer dans la langue avec notre inin-
telligence neuve du présent.

Rue Notre-Dame, rue de la Commune. Le passé suinte sur les murs des immeubles: Southam Printing Company Montreal, Potato Distributors Ltd., the Standard Paper Box Co. Limited. Le passé gravé dans la pierre, Bank of Montreal, Molson Bank; le présent néon, coloré français. J'achète les journaux du samedi. Ici, une critique sur le roman. Ma photo. Là, une entrevue, avec une photo de l'auteure et de la traductrice. La photo a été prise au belvédère du mont Royal. Montréal en arrière-fond. Comme si nous regardions dans une direction imposée par le vent et l'instinct, nous avons l'air de voir loin.

Ma photo, je la regarde attentivement en compa-
rant avec *à l'époque.* Je souris, le courage de la
gaîté enfoncé dans les yeux comme si l'expérience du
langage pouvait accentuer les traits. Un jour, devant la
mer, une femme qui m'aimait a fait de moi trois photos
en cinq secondes. Sur la première, je vis, je respire, je
suis ce que je suis. Sur la deuxième, je suis cou, men-
tons et sourcils avec un singulier sourire lent. Sur la
troisième, je suis ma propre étrangère en gros plan.
Désaxée par rapport à la mer. J'ai mis le cliché en
miettes. Je n'ai jamais oublié l'air de la folle qui m'a
déchirée.

Les lys sont fanés. Je suis descendue chez la fleuriste pour acheter des fleurs sauvages. Adjacent à l'hôtel, il y a un centre de commerce construit sur les fortifications anciennes de la ville. Je longe les boutiques. Derrière une rangée de plantes, je découvre une fontaine, tombeau liquide que la lumière recompose sans arrêt. L'eau ne jaillit pas. Étendue, elle est marbre stèle lisse qui déjoue le regard ou vasque de transparence. J'aime l'idée de l'endroit. Ici je peux, en personne, craquer à tout moment, touchée par la beauté du lieu et le tourment d'un monde trompeur ravivé en moi comme un instinct dont je n'aurais pas honte et qui enflammerait tout ce qui peut flamber de mes pensées. Dans cette ville, je pourrais écrire. Ici, j'existe.

J'aime l'idée de l'endroit. La fontaine dégage une forte odeur d'humidité qui rappelle celle des tropiques. Étrange sensation au milieu du murmure de l'eau mêlé au bruit des ustensiles et des voix en écho qui parviennent du café des Courbes. Une sculpture du XVIIIe siècle représentant Amphitrite, épouse de Poséidon, orne le côté est de la fontaine. Ce lieu bruyant abrite un silence visuel. Je n'ose plus bouger. Le temps s'avance vers moi, fontaines du monde entier. Je suis énergie, aura, occasion rêvée de me confondre à l'idée de l'endroit, au ruissellement de l'eau qui prend soudainement tout son sens.

Ce soir, j'ai but de parler. Et c'est de la mer. La traductrice est attentive. L'occasion est belle. Il n'y a
pas à m'interrompre. En anglais, je raconte la plage, le
sable où l'enfant amassait nautiles, clovisses et
trompettes. L'enfant regarde intensément la gueule de
la mer. Le vent soulève des jets d'eau qui font des miracles d'arc-en-ciel et d'embruns dans les yeux. L'enfant
apprend de nouveaux mots grecs et latins. L'enfant
demande d'où viennent les vagues et pourquoi ça
recommence toujours en faisant du bruit. Le vent lisse
les cheveux de l'enfant. L'enfant roule dans le temps,
puis elle enfourche le vent *travelling among questions.*
Aiming for the future.

Je feuillette une revue sur la théorie du chaos. Quelques fractales en couleurs. Je suis sidérée par la ressemblance qui existe entre les fractales et les images psychédéliques. Le téléphone. La photographe. «J'ai une proposition à vous faire.» Le premier livre de sa collection. Elle mentionne une artiste dont je ne saisis pas bien le nom. Il suffit de passer à la galerie Dazibao pour voir. Plus tard dans la journée: en effet, cette femme produit des images qui vont droit au ventre allumer le passé, sa composition restaurée virtuelle et fictive.

Nous marchons longtemps en prétextant que la pluie dans une ville civilisée excite la sensualité. Ce soir, le corps se veut libre, sans abri, sans protection. Le corps veut du vertige, des sensations, projections libérantes et ville illuminée. Ce soir, le corps commande la gaîté. Nous revenons sur la question du futur. La pluie glisse partout sur nos joues. À tort ou à raison, nous associons la liberté au futur comme si les deux mots formaient un couple moralement compatible. À l'épreuve du temps. Nous ne savons pas comment arrêter de penser futur. La traductrice passe la main dans ses cheveux d'un beau noir qui brille dans la nuit.

J e dis: «Comment distinguer entre la douleur avec un
motif et la douleur sans motif?» La journaliste gri-
mace. «Nous consacrons plusieurs heures par jour à
nous divertir de la douleur des autres sans par ailleurs
y prendre plaisir. Bien qu'elle soit constamment sous
nos yeux et que nous la sachions contemporaine de nos
vies, la douleur d'autrui invraisemblable nourrit le sommeil cauchemar. Elle va droit à l'imagination exciter les
pensées comme une œuvre d'art, un thème majeur qui
renforce les convictions chères à notre civilisation. Dès
1925 Valéry n'écrivait-il pas: "S'il n'y a point ce matin
quelque grand malheur dans le monde, nous nous sentons un certain vide."» La journaliste fronce les sourcils,
pose une dernière question à laquelle je réponds par
une citation de la photographe Diane Arbus: «Une des
choses dont j'ai souffert quand j'étais gosse était de
n'avoir jamais connu l'adversité. J'étais prisonnière
d'un sentiment d'irréalité... Et le sentiment d'être hors
de danger était, aussi ridicule que cela paraisse, un sentiment douloureux.» Puis, en douce, je conclus: «Oui,
vraiment, je suis comblée.»

Nous sommes assises dans la troisième rangée. De
là, je distingue tout: la bouche, un amas de salive
blanche à la commissure des lèvres, les postillons, les
poils de la barbe, le mouvement étudié des lèvres, des
sourcils et du menton, une main qui s'apprête à
devenir poing, une bouche prête zà cracher: «Que fut
Baudelaire,/ que furent Edgar Poe, Nietzsche, Gérard
de Nerval?/ **Des corps**/ qui mangèrent/ digérèrent/
dormirent/ ronflèrent une fois par nuit,/ chièrent/
entre 25 et 30,000 fois,/ et en face de 30 ou 40,000
repas,/ 40 mille sommeils,/ 40 mille ronflements,/
40 mille bouches sures et aigries au réveil/ ont à présenter chacun 50 poèmes,/ vraiment ce n'est pas
assez[13].»

À l'entracte, nous buvons une bière. Malgré la cli-
matisation, la chaleur s'imprègne partout dans le corps,
petite suie de ville qui pénètre dans les pores à notre
insu.

— Ce n'est pas un spectacle divertissant.

— Pourquoi le serait-il? Nous ne sommes pas ici
pour oublier que nous sommes ici.

S ur le mont Royal. Nous parlons de l'Amérique au
présent et au passé. La traductrice rappelle le parcours de Cavelier de La Salle jusqu'en Louisiane.
Colonies, districts, provinces, départements. Posses-
sions et territoires. Empire. Navires. Nous revenons sur
le futur et sur nos pas. Marchons un temps autour du
lac des Castors. Les écureuils tournent en rond comme
dans les dessins animés. Je ne sais pourquoi, je pense
aux formules mathématiques de Lewis Carroll. Il y a
quelque chose de fascinant à vouloir exister au futur
alors que toute la langue du passé nous éblouit, nous
retient par le bas de l'imaginaire.

L'identité est ici un sujet qui fait pérorer alors que pour moi, c'est une source de méditation. Enfant, il m'arrivait souvent en prenant mon bain de tenir mes pieds immobiles à l'autre bout de la baignoire pour des choses étrangères, deux petits bouts d'humanité qui n'étaient pas moi, ça. Je pouvais rester longtemps ainsi figée, observant la distance qui me séparait de l'humanité, jouissant presque de «ce n'est pas moi là-bas puisque je suis ici très pur esprit». Seul un acte de volonté, comme bouger un orteil, pouvait restaurer mon intégrité, me réinsérer dans l'espèce charnelle et la réalité de l'eau devenue froide.

À la terrasse du café Cherrier, tant de soleil assèche les lèvres. Comment savoir à l'avance si d'un personnage on dira: elle a les lèvres minces, sensuelles, charnues ou duvetées; le menton avancé, fuyant, saillant, double ou en galoche; le nez arqué, rond, aquilin, pointu, busqué, crochu, écrasé ou grec; les yeux grands, globuleux, bridés ou enfoncés. Comment savoir si la peau sera dite rose, blanche ou bronzée et plus tard dans le récit, douce ou satinée. Comment s'aventurer au-delà sans savoir si d'une femme on dira personnage ou mon *amoure* de femme.

Dans une librairie du boulevard Saint-Laurent. Je m'enquiers d'un album qui doit paraître à Londres aujourd'hui. Le libraire consulte son ordinateur et, ne voyant aucun titre pouvant s'apparenter à celui que je cherche, il se renseigne par courrier électronique auprès d'une libraire londonienne. « *Yes, it came out a few hours ago. It's a gorgeous album. You shouldn't wait to order.* » Pendant ce temps, la traductrice tourne les pages d'une revue vieille de deux mois. À l'arrière de la librairie, deux femmes vivent fort en temps réel la lecture du *Corps lesbien.*

À quoi penses-tu lorsque tu dis «notre» littérature? Je pense à tous les éclats de mots et d'utopie qui rendent la mort improbable et paradoxalement si présente que je ne sais par où commencer. Côté détresse ou exubérance baroque. Je sais seulement qu'il faut relire, se frotter à l'esprit ancien, se faire à l'idée qu'il y a des chapitres entiers qui nous concernent directement. «Notre» littérature est inséparable de la littérature, ultime nostalgie qui vaut pour l'avenir. Car nous serons encore là dans quelques siècles à nous interroger, à trembler tout notre saoul de peur et d'émerveillement, pour seule preuve de notre humanité, l'intelligence de nos larmes. À quoi penses-tu maintenant que tu as dit tout cela? Je pense qu'il faut relire.

Sur la table, nous appuyons nos coudes. Nous nous penchons l'une vers l'autre à la recherche de ce qui pourrait accommoder l'autre dans ses intentions. Nous parlons du projet de nos vies et du passé dans un présent sans confidences. Nous nous rapprochons, paradoxe, en nous livrant le moins possible. Cela augmente l'attrait, le tutoiement, et le visage y gagne en expression. Nous abondons physiquement dans le même sens au sujet d'un grand nombre d'idées. Nos pensées se chevauchent. Nous nous précipitons à la conquête des intentions dites intimes de l'autre. Trop de tout très vite au milieu des questions et des constellations nous rapproche.

Nous avons pris rendez-vous, Quai de l'horloge, pour entendre et revivre au milieu des artefacts l'histoire de l'*Empress of Ireland* avalé par le fleuve à la hauteur de Rimouski. La traductrice: selon les générations l'image du naufrage refait surface tout comme l'idée de navigation qui permet un si grand nombre de manœuvres qu'on l'associe inévitablement à l'immensité, à la mer et au cosmos, aux milliards de cellules qui nous peuplent de démesure et d'un fort goût de dérive.

Plus tard, sous un ciel plus que parfait, nous montons sur un bateau à aubes, d'où Montréal nous apparaîtra tout changeant. Entre l'île et le petit large du fleuve, la sensation de plaisir sera si forte que l'envie d'écrire me viendra. Au retour, je commanderai à boire et à manger. J'écrirai jusqu'à ce que *je n'écris plus* sombre tout naturellement dans le passé des mauvaises pensées.

En tournant la page, je suis tombée sur un mauvais passage que d'un seul coup j'ai dévoré, fascinée par ce qui a pu se passer dans la tête de l'auteure. Il y a des années que j'essaie de comprendre le phénomène du «mauvais passage», cette monstration soudaine d'une inadéquation entre l'intention et le langage. Un mauvais calcul ou peut-être une correction que l'auteure s'inflige pour compenser le mal-être de n'être pas là, assez là dans le vif de la chose immense qui se déplace en elle.

Fantasme de lectrice pour qui la fiction n'opère qu'éprise de son horizon, il m'arrive parfois en refermant un roman de penser à ce que pourrait être la suite. J'appelle cela: aller au-devant de l'héroïne ou de l'auteure selon les cas. Jeu de finale et de superstitions. Ramification sans fin ouverture.

Qu'y a-t-il à comprendre si je dis d'une femme: elle me fait réfléchir. Qu'y a-t-il à imaginer si j'affirme qu'elle me donne matière à réflexion. Nos histoires se ressemblent, se confondent parfois au point qu'il faut réinventer le début et la fin, là où ça nous échappe totalement et en cela oblige à lier, hors cadre, l'appartenance et l'identité en faisant preuve de noblesse et de solidarité.

Elle demande à quoi ressemblait le jour un du roman. «Un sentiment de solitude mêlé à une forte libido de mai ensoleillé. J'avais passé l'avant-midi au British Museum et acheté deux livres de Samuel Beckett sur le chemin du retour. Cecil Court, je prenais le thé en lisant. Soudain un goût de vaste et de faste. C'était la première fois qu'une telle chose m'arrivait: le goût sans l'urgence. Aucun impératif, seulement la certitude que j'allais ne plus arrêter d'y penser.»

Calés dans les grands fauteuils du hall de l'hôtel, ils sont plusieurs à parler seuls. Ici et là, leurs voix jaillissent comme de petits cailloux sonores dans l'espace du hall vaste. Le bras en angle, la bouche écrasée sur le combiné, bien accrochés à leurs cellulaires, ils émettent et captent des messages brefs qui excitent l'*ego* contemporain. Ils sont tous égaux, libres et occupés, attachés au «spasme de vivre» et c'est bien normal. Les autres, en silence comme moi, le regard en coin vers la porte tournante, pensent à la soirée qui vient, au restaurant, au lendemain. La voici, très habillée, un livre sous le bras. Je me lève pour l'embrasser. Nous nous précipitons sur un sujet de conversation. Je pense à l'époque où tout était corsé, rempli de séduisantes ellipses et de l'extra des pensées qui empêchait les compromis. L'extra allumait partout des feux sémantiques. Il fallait tout dénouer de l'énigme, avaler la lumière et goûter chaque instant, étonnée qu'autant de vie règne.

L a traductrice: «Depuis ton arrivée, j'ai commencé un article dans lequel tu apparais souvent silencieuse. Ton silence m'obsède. Palpable, presque charnel au milieu des mots que j'écris.» Je n'allais pas répondre mais oui le silence rapproche. Il tisse à notre insu. Le désir. Je n'allais pas lui tendre la Perse vingt-quatre heures avant de m'envoler pour Londres. Je n'allais pas prendre un air de jeunesse et bientôt me tromper de corps. Je n'allais pas penser à la littérature, ici, m'affoler pour résoudre une histoire de silence. Je n'allais pas chercher dans la langue une réponse, la lui offrir en la dévorant des yeux.

« Le silence, comme si tu scannais l'invisible, scrutait la nuit, le jour, que sais-je, la flèche du temps. Tu regardes filer la chose qui se ravise et revient vers toi en faisant des boucles. Ton silence, il se boit aussi, tchin-tchin.» Le vin coule dans la gorge, caresse le palais, les muqueuses s'éveillent, le vin coule à petite douceur de chaleur, dans le corps c'est lent et savoureux. Le vin, la Perse, les palais, les villes, il y a confusion, je sais, je suis dans l'œil de l'ouragan. Babylone, le Tigre, les veines de son cou quand elle avale. Je m'absente. Lorsque je reviens, nous sommes hantées par le présent. Le silence. La musique. Je mentionne Buenos Aires. Nous sautons dans un taxi. Montréal, sa brique, ses pierres, ses escaliers en colimaçon, ses terrasses, ses églises, défile sous nos yeux. Boulevard Saint-Laurent, au 4848. Une grande salle, un éclairage tamisé au milieu duquel des couples oui, c'est le verbe *bailar*. Les coudes appuyés sur une nappe rouge si longue qu'elle touche nos genoux, tango après tango, nous absorbons le présent.

J'ai accepté. Il devait être une heure du matin lorsque nous sommes arrivées au casino de l'île Notre-Dame. Nous avançons parmi des centaines de machines à fente. Les gens circulent comme des quêteux avec leur panier de petite monnaie. Le tintement continu des pièces qui tombent en vrac, illusions, bonne fortune sonore. *Beat you bet.* C'est fou. C'est démocratique et avide. L'argent tombe de partout. Au deuxième étage, on joue riche. On entre dans la fiction des jetons et des symboles. On mise sur le futur, jeton après jeton, on lance un chiffre, de la tête on fait signe: une carte, deux fois. Personne ne rit.

Sur le chemin du retour, nous nous sentons terriblement libres de plonger dans le proche futur.
Montréal scintille, grand tatouage mauve entre la nuit
et les premières lueurs d'aube. Le taxi roule lentement
comme une petite phrase. Un seul corps pour composer avec la jeune lumière du jour et la lueur des mots
dans les yeux de la traductrice. La lumière jonche le
ciel de rose. Les images affluent. Tous les jours, le corps
se transforme à notre insu. Les pensées changent-elles
de nature parce que le corps attrape à d'autres niveaux
le sens de la vie? Le corps peut-il simultanément faire
attention aux choses universelles, à la couleur de l'aube
et laisser faire la fiction? Les questions étaient de
retour. Qu'allons-nous chercher dans le silence
d'autrui, les yeux alléchés par la proximité et les comparaisons qui font tourbillon de vaste moi? Qu'allons-
nous chercher là dans le réflexe du rapprochement?

NOTES

1. Paul Chanel Malenfant.
2. Paul Chanel Malenfant.
3. Léonard de Vinci.
4. Homère.
5. Ludwig Wittgenstein.
6. Herman Melville.
7. Gérard de Cortanze.
8. Groupe Abba.
9. Lewis Carroll.
10. Lewis Carroll.
11. *Dictionnaire des symboles.*
12. Miguel Ángel Asturias.
13. Antonin Artaud.

Table

TITRES PARUS DANS LA COLLECTION FICTIONS

Cet ouvrage composé en New Baskerville corps 12
a été achevé d'imprimer
le cinq octobre mil neuf cent quatre-vingt-quinze
sur les presses de l'Imprimerie Gagné
à Louiseville
pour le compte des
Éditions de l'Hexagone.

Imprimé au Québec (Canada)